CHAOJI BAN
MAOXIAN
XIAOHUDUI

超级版
冒险小虎队

MAOXIAN XIAOHUDUI

太空陵墓

[奥地利] 托马斯·布热齐纳 著

维尔纳·埃曼 插图

邵灵侠 陈一平 译

浙江少年儿童出版社

小虎队个人档案

名:碧吉　　　　**姓**:波尔格

生日:6月17日
发色:金黄色
眼睛颜色:海水蓝
个人特点:身边总带着些
吃的东西

我喜欢
食物:榛子巧克力
饮料:热带水果饮料
颜色:橙色
动物:美洲驼
音乐:摇滚乐
课程:生物
业余爱好:收藏,写日记

我讨厌
萎靡不振的男孩, 老说废话的人,
家庭作业, 太短的假期, 无视我的
大人

梦想的职业:兽医或飞行员
最大的愿望:有一匹属于自己的马

名:路克(路卡斯)　　　　**姓:**坎平斯基

生日:7月1日
发色:稻草金
眼睛颜色:蓝中带绿
个人特点:身边总带着
　　　　　　百宝箱

我喜欢

食物:汉堡加薯条
饮料:柠檬可乐
颜色:绿色
动物:狐狸
音乐:只要是我能跟着哼哼的音乐我都喜欢
课程:物理,数学
业余爱好:遥控模型(曾制作了一台会走的冰箱)

我讨厌

思路中断,整洁(我很少有井井有条的时候),为达到目的无所不为的人和自以为无所不知的人

梦想的职业:发明家
最大的愿望:拥有一台和我爸爸那台一样好的电脑

小虎队个人档案

名:帕特里克　　**姓**:施泰因布伦纳

生日:7月28日
发色:黑
眼睛颜色:典型的深棕色
个人特点:总是穿着
　　　　　　运动服

我喜欢
食物:比萨饼
饮料:冰茶
颜色:蓝色
动物:我的小兔子班尼
音乐:一种节奏较快较强的电子音乐
课程:课间休息
业余爱好:各种体育运动

我讨厌
考试,不光明正大的人,愚蠢的人,
坐火车,穿着太紧并使皮肤发痒的
漂亮衣服

梦想的职业:特技演员
最大的愿望:跳伞

欢迎你成为第四只小虎
请你也介绍一下自己

名： 姓：

生日：

发色：

眼睛颜色：

个人特点：

贴上
你的照片

我喜欢
食物：
饮料：
颜色：
动物：
音乐：
课程：
业余爱好：

我讨厌

梦想的职业：

最大的愿望：

太空陵墓

你就在破案现场!你也要参与破案工作!

你要回答破案时出现的很多问题。

特别重要的提示:在本书末你可以找到冒险小虎队的许多秘密记录和超级绝招。

功能 1·超级解密卡

所有答案都被加密了。请你把超级解密卡放到灰色区块上缓缓转动,直到文字显现。

功能2·搜索格子卡

　　将搜索格子卡放置在插图上,使卡左下方和右上方的两个小孔分别对准插图上作记号用的两个小黑点,然后看一看,你要寻找的目标出现在哪个区域。

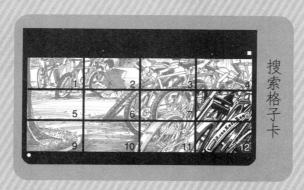

搜索格子卡

功能3·密信解读卡

　　解读步骤如下:

　　1. 将卡片放在密信上面,箭头朝上,使每一个格子中都有拼音或汉字,这样,你能看到密信的开头部分。

　　2. 将卡片倒转过来,使箭头朝下,你将看到密信的第二部分。

　　3. 将卡片翻过来,使背面的箭头也朝上,继续读出显露的文字。

4. 再将反放在密信上的卡片倒过来,使箭头朝下,你看到的是密信的最后部分。

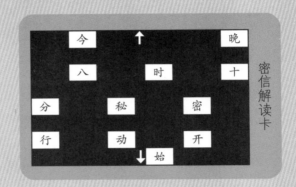

记住:每答对一题,就给自己记 1 分,并将最终得分填在书末的破案成绩卡上。

侦破行动现在开始!

目录

MULU

神秘的灯光信号

七月的一个夜晚,路克站在窗台前,两眼呆呆地望着深蓝色的夜空。

突然,一颗明亮的星星划破夜空,朝地球的方向飞来,静静的夜空中,留下了一道漂亮的弧线——这是一颗流星!

"大人们总说,如果谁看到了流星,那么他就可以许下一个心愿!"路克一想到这个,内心便有了冲动,于是他迅速闭上眼睛,在心中默默祈祷:我希望自己能够远离海尔迦阿姨和马里乌斯姨父,哪怕我浪迹天涯,四处为家,也比待在这里强。

当路克重新睁开眼睛时,夜已经很深了。远处,蟋蟀的"喔喔"声随着柔和的风不断地在耳畔回响;附近池塘里的青蛙也不

1

甘寂寞，"呱呱"地叫个不停。蛙声、蟋蟀声此起彼伏，像是在举行一场音乐会。

路克深深地叹了一口气。要实现自己的愿望真是太难了！因为他还必须在海尔迦阿姨和马里乌斯姨父这里待上整整两周的时间，这简直是一场噩梦。

阿姨和姨父拥有一家小旅馆，它坐落在布拉森施坦因村庄附近。一天到晚，阿姨和姨父总是把外甥路克留在身边，不让他离开自己的视线。

海尔迦阿姨不断地警告路克，并且常常指使他："路卡斯，亲爱的，请别碰那把刀，不然，你可能会被它割伤的！路卡斯，小宝贝，请你帮帮马里乌斯姨父，把午饭时要用的餐巾叠好！路卡斯，小心肝，请你别再玩电脑游戏，这些游戏对孩子们来说不合适！"

此时此刻，路克真是太想念他最好的朋友——帕特里克和碧吉了。要知道有他的小虎队队员在，生活可就有趣得多了。

路克像个小老头似的长吁短叹起来，

继续呆呆地站在窗台前仰望着天空。

忽然，对面的山坡上，有一盏灯在闪闪发光。起初路克以为，那是一辆在山路上颠簸行进的汽车。但是，这个灯光却以一种明确固定的节奏在闪烁：两次短，一次长，再两次短。直觉告诉路克：事有蹊跷。

路克拥有一个特殊的工具包，路克戏称它为百宝箱，里面装着望远镜、手电筒和照相机，以便随时可以取用。

这会儿,路克迅速拿出一架夜视望远镜——借此能够辨认出隐蔽在黑暗中的东西——并且把它对准刚才看见过闪光的地方,仔细地搜索起来。

如果他没有搞错的话,那儿是一片小森林。此时,夜色、树木成了最大的屏障,即使借助了先进的夜视望远镜,路克也什么都没有发现。

当路克正想把望远镜收起来时,通过眼角的余光,他瞥见在山坡靠右边的地方,还有另外一个灯光信号。

两次短,一次长,两次短。

路克赶紧又把望远镜举了起来。这回他终于有了发现:山坡上确实有人。那个人正站在一块高高的岩石上,岩石下面是郁郁葱葱的灌木。

灯光以同样的节奏再次闪动了一遍,但是这一次却在那个山坡的左边。

海尔迦阿姨和马里乌斯姨父的小旅馆距离布拉森施坦因约三公里,它处在一个绿阴环抱的圆锥形山峰上。在小旅馆的后面，有一片无边无际的大森林，它就像一条围巾盘绕在山峰上。越往山顶走，高大的树木越少，只有一些低矮的中欧山松，还有大片的草地。而到了山顶上就仅仅剩下裸露着的灰色岩石了。

在这个绿阴环绕的圆锥形山峰对面，是蜿蜒连绵的索尔山丘，山丘上覆盖着茂密的绿树。当路克还是个小男孩的时候，就曾经去过那里。那些山丘看起来就像是一条沉睡着的巨龙。

现在，在索尔山丘的密林深处，有人正在不断地发出灯光信号。他们相互之间的间隔很大，一个接着一个隐匿在山林中，彼此之间只依靠灯光的闪烁来传递信息。那么，这些灯光信号到底代表着什么意思呢？

为了看得更清楚些，路克站直身子，紧紧地扶住窗框的两侧，使劲地伸长脖子，恨不得立刻长出一双千里眼来。

窗台外边是阿姨家的花园，为了让阿

5

姨满意,马里乌斯姨父几乎是用指甲剪来修剪草坪的。与花园毗邻的是一块牧场草地,顺着地势平缓地向下延伸。

在牧场的尽头围着一道栅栏。突然,路克发现在栅栏附近竟然也有一个灯光信号在不停地闪烁。

两次短,一次长,两次短。

难道在这个绿阴环抱的圆锥形山峰上,也有这个暗号组织的同伙,并且正在朝索尔山丘那边发出灯光信号?

"太好了!我的愿望这么快就实现了!"路克激动得心扑扑直跳。也许在这个无聊透顶的偏僻小村庄里真会有一些事情发生。

为了避免引起阿姨的注意,路克拿起百宝箱,一个翻身就从窗口跳了出去。他小心翼翼地穿过牧场栅栏的铁丝网,蹑手蹑脚地猫着腰行走在草地上。

慌乱中,他的左脚踩上了一块软得像奶酪似的地面,并且深深地陷了进去。"不!"他绝望地轻呼一声,迅速地把脚拔了出来。借着皎洁的月光,他看见自己踩上了一堆新鲜的牛粪。

真倒霉!但路克根本顾不上擦鞋子,就又上路了,因为现在他有更重要的事情要做。不久,路克来到了草地的尽头,一个带电的栅栏挡住了他的去路。缠绕在栅栏上的电线正轻轻地发出"嗡嗡"的声响,这表明电路是通的。路克知道绝不能用身体去接触栅栏,否则会受到猛烈的电击,严重的话甚至会危及生命。

路克扭曲着身子,像表演杂技一样巧妙地绕开密密麻麻的电线,终于成功地穿越了障碍。

现在,出现在他眼前的是一条森林小

径,刚才的灯光信号肯定就是在附近亮起的。路克东看看,西瞧瞧,仔细地搜索着。

这时,在树林中的一棵大树顶部,那个灯光又重新亮了起来。是谁在那里呢?

森林小径在月光下显得分外明亮。在小径的两侧,冷杉的树枝垂挂下来,而较粗一些的枝桠又向外伸展,在月光的照射下,一路上留下了斑驳的阴影。

在接下来的一次灯光信号中,路克几乎已经到达了信号源的准确位置。他抬头往高处看,可在那些密密匝匝的枝桠中间,根本看不见一个人影。只是在一棵冷杉树粗糙、皲裂的树皮上,钉着一些小木板,看上去就像一架小梯子,这里很可能就是通往猎人狩猎时所使用的高台。

现在,谁会在那上面呢?一个人,还是两个人,或者是三个人?

路克隐身在粗壮的树干旁,寻找着各种线索。而一个偶然的发现,终于给刚才的问题提供了一个圆满的答案。

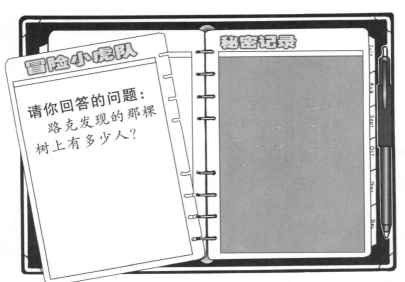

请你回答的问题：
路克发现的那棵树上有多少人？

UFO降临

路克深深地吸了口气，思量着接下去该做些什么。他屏住呼吸轻轻地打开百宝箱，小心地拿出一台仪器。这台仪器由一个小盒子和耳机组成，盒子前端拥有一个带金属网的圆形探孔，后面却没装喇叭，取而代之的是一个非常灵敏的耳机，看起来就像一个随身听。

路克迅速戴上耳机，按下开关，并且把探孔对准了头顶上的高台。

借助这个宝贝，路克就像长了顺风耳似的，可以听见很远距离的谈话声。

最初，他只听到了树枝发出的"咔嚓"声。这种"咔嚓"声通过放大，听起来就像是扣动手枪扳机的声音，其实这只是一种树叶摩擦时发出的声音。

路克揉了揉耳朵,继续监听。最后,他终于听见有人在树顶上轻声低语:"如果这一切都是真实的,那么我就愿意参加这个组织。"

由于声音很轻,又经过了机器的过滤,所以很难确定,说话的究竟是一位女士还是一位先生。

"这绝对是不可能发生的事情。"第二个声音又夹杂进来,这个声音听起来更加低沉一些。"你难道真的会上当受骗于每一个向你频送秋波的人?"

"她没有欺骗我。"第一个声音听上去有些激动。

现在路克可以确定,第一位说话的是女士,而第二位则是名男士。

"再发一遍灯光信号!"突然,女人语气强硬地坚持自己的想法。

男人极不情愿地嘟哝了几句,但他似乎还是照办了。路克从耳机里清楚地听到了开灯的声音。

上面的那两个人在等待着什么呢？

透过冷杉枝桠的缝隙，路克可以直接看到索尔山丘，那儿现在也重新发出了灯光信号。

总是同样的信号。两次短，一次长，两次短。

路克蹑手蹑脚地离开了冷杉树下，缩着身子又走到刚才那条森林小径上。他一边取下耳机，一边收拾着仪器，并且把它重新装进自己的百宝箱里。路克步履敏捷地向前走去，以便寻找一个更适合的位置来观察整个山谷。

在离高台不远的地方，路克拐进一条狭窄的小路，它连着一条通往森林的公路。在一块箭形木头指示牌上，雕刻着一颗心形图案，并且被涂上了鲜红的颜色。

路克知道这条路通向哪里。如果他幸运的话，那里不会有人，而且还会找到一个位置绝佳的瞭望台。

这个箭头指向所谓的"爱的小长椅",那是一张隐藏在灌木丛和树林后面的长条椅子,它处在一块向外突出的条形岩石上。坐在这张长条椅子上,人们可以俯瞰整个山谷。

路克迟疑地走上这块被灌木丛遮盖的地方。

此刻,他的心情很轻松,并且长长地吁了一口气:"太好了!"长椅上空无一人,没有情侣在那里拥抱亲热。

现在,路克内心涌动着激动和好奇。他知道,不久将会发生异乎寻常的事情,而他将成为第一个目击者。这太令人兴奋了!

为了不放过任何线索,他取出了夜视望远镜,为了保险起见,他还拿出了一只手电筒。

几分钟过去了,在索尔山丘的斜坡上,一束光线又重新闪亮了两次,但没有发生其他更多的事情。

由于紧张,路克的喉咙像被堵住了似

的发不出声响,甚至还感到有点头晕目眩。

一阵凉风袭来,路克只感觉到鸡皮疙瘩从自己的脖颈儿倏地蹿上了他的背脊,一种令人不安的感觉渐渐向他袭来。他恐惧地朝四周看了看,黑暗中,那些密密的灌木丛里似乎都暗藏着杀机。

路克不停地深呼吸,双手紧紧地抓住望远镜,突然,他听到从高台方向传来一声惊恐的尖叫声。

布拉森施坦因上空出现了一个巨大的圆盘,它随风飘移,并且慢慢地旋转着,圆盘的边缘排列着有规律的、圆形的黑色斑点。

"不!"路克的呼吸越来越急促,"不!"他喃喃自语,几乎说不出更多的话来。

这个圆盘还在不停地旋转,并且变得越来越大,似乎要在布拉森施坦因附近降落下来。

"不!"路克不知所措地注视着眼前的奇景。他使劲地紧紧抓住自己的望远镜,用

力,再用力,以致望远镜的塑料外壳都发出了"咔咔"的声音。

路克定了定神,才发现这并不是什么圆盘,而是一个四周薄中间厚像个馅饼似的圆形飞行器。不一会儿,飞行器的外形轮廓变得越来越模糊,几乎要与空气融为一体,它的旋转速度也越来越快。这个飞碟似乎要完全破裂,整个地分解开来。

在山谷中,恰恰就是在这个飞行器的下面,探照灯突然亮了起来,照亮了一块田地。地里的庄稼已经长得很高了,金灿灿的,看起来就像是狮子的皮毛。

飞碟距离庄稼地越来越近,似乎要降

落下来。路克屏住了呼吸。

短短几秒钟后，所有的灯光都熄灭了。

来不及多看，路克迅速从百宝箱里抓起相机，对着飞碟出现的地方一阵猛拍，甚至没来得及透过取景器好好地观察一番。

路克不停地按动快门，可相机并没有发出"咔嚓咔嚓"的声音。这是一只数码相机，这种相机无需胶片，全部图像信号会全真地记录在一块芯片上。

在接下来的很长一段时间里，山谷里静悄悄的，没有丝毫动静。没有灯光，没有飞碟，甚至连下面的公路上也没有了汽车的踪迹。整个布拉森施坦因地区几乎所有的房屋都被浓浓的夜色包裹着，所有的居民都已经进入了梦乡。

突然，路克感觉到似乎有什么东西向他袭来，而且还有一些坚硬的、尖尖的东西从他头顶上擦过。

路克吓了一大跳，一屁股跌倒在地上，身子还滑到了那张椅子的下面。路克的心在剧烈地跳动，汗水布满了他的额头。

"这是什么？是 UFO 向我发射了什么东西？"那个从上面飞速向路克袭来的"沙沙"声还一直在他耳畔回荡。

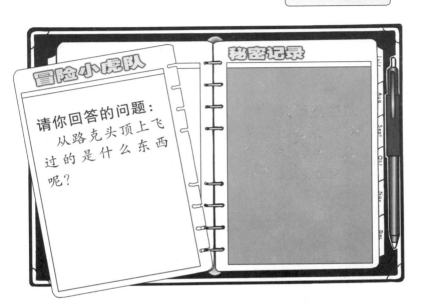

冒险小虎队

秘密记录

请你回答的问题：
　　从路克头顶上飞
过的是什么东西
呢？

不宁静的森林

至于被猫头鹰吓了一跳的事情我最好还是不要讲给帕特里克和碧吉听为好。当路克狼狈地从长椅底下爬出来时,他决定严守这个秘密。如果碧吉和帕特里克知道他现在的这副胆小鬼模样,肯定会大笑不已,他们先是会"咯咯"地抿嘴笑,然后是"哈哈"地放声大笑。"唉,真是太不好意思了!"光是想想,路克就羞红了脸。

路克重新坐回到长条椅上,四下张望。山谷中静悄悄的,好像什么也没有发生过。灯光信号消失了;那个发光的圆盘似乎也销声匿迹了。

可一切并没有就此结束。不一会儿,飞碟再一次发出微弱的光,颜色从蓝绿色变成了黄灰色。这个飞碟看上去就像是一颗用金属制成的、在不断跳动着的心脏。

几分钟后,这个怪物越变越小,似乎已经远离了地球,最后只剩下一个小亮点,迅速地消失在茫茫夜空中。

这时,从先前的高台上响起一阵失望的叹息声和长长的嘘声,而且还夹杂着相互责骂和埋怨的声音。可距离太远了,路克根本听不清楚讲话的确切内容。

忽然,山谷中亮起了一束探照灯光。长长的、明亮的光束像利刃般划破天空,直指苍穹。倏地,光束又猛地向下倾斜,像扫描仪似的掠过大片的庄稼地。

路克极力睁大双眼,直愣愣地看着眼前发生的怪事。庄稼地里出现了巨大的圆形图案。难道飞碟真的在布拉森施坦因降落了?在黑暗中,外星人都干了些什么?

也许想看得更明白些,路克匆匆忙忙地摘下眼镜,在 T 恤衫上胡乱抹了几下后又重新戴上,双目再次打量着这片土地。他使劲地吞咽着口水,冒汗的双手重复着一个动作——不停地按下照相机的快门。

光柱不断地来回滑动,然后再次指向天空,而后就熄灭了。

路克屏住了呼吸。几秒钟后,探照灯重新亮了起来,并且又发出了同样的信号:两次短,一次长,两次短。

一种恐怖和郁闷的感觉填满了路克的整个心胸,让他不由自主地打了个寒战。他的膝盖就像是面粉做的,软绵绵地用不上劲。

路克蹲在地上不停地喘气,当他可以重新站立起来时,竟感觉手脚都不听使唤了,自己就像是一个被人暗中控制的木偶。

路克笨拙地穿过那条狭窄的小径,回到了森林公路。他跟跟跄跄地走到一条由越野车的轮胎压出来的小路上,突然脚下一滑,跌进在灌木丛里。

真是幸运,在路克前面——比他想象的要近得多——有两个人正从高台上下来。当路克步履蹒跚地一头撞进灌木丛中时，他们肯定已经听到了树叶发出的"簌簌"声。手电筒刺眼的光束立刻追踪而来，在灌木丛周围搜寻着。灯光不时地从躺在地上的路克身上掠过。

"那儿不会有什么东西吧……"一个男人低沉的声音中充满了不安与疑惑。

"肯定是一头狍子。"听那个女人的口气倒并不在乎。

为了安全起见，路克一动不动地趴在地上。他听到自行车在枝桠密布的冷杉林里"咯吱、咯吱"地响了起来。他们的自行车肯定已经非常陈旧了，因为车子的挡链板不断地"咯咯"作响，似乎马上就要掉下来了。

直到确定那两个人真的走远了以后，路克才从地上爬起来，用手拍打着粘在牛仔裤上的冷杉针叶和青草。还好，这块地是干的，不然的话，他的牛仔裤上肯定已经沾满了泥土，而那样的话，海尔迦阿姨马上就会产生怀疑，并唠叨上好几天。

路克开始低头快速奔跑，并且不断地左看右顾，惟恐有人会从灌木丛中突然冒出来，或者有人越过草地向他冲过来。在莫名的恐惧中，路克只顾埋头奋力地向前奔跑。

突然，前面不远的地方，响起一阵"哞哞"的牛叫声，原来一头睡梦中的奶牛被惊醒了。在黑暗中,路克辨认出那对向上弯曲的牛角和那双大而明亮的眼睛。

"乖乖睡吧!一切都很正常,只是有几个外星人在作祟。"路克低声安抚了奶牛后,又继续向小旅馆跑去。

当路克终于回到阿姨家时,他简直累坏了。

他浑身无力地倚在栅栏旁,让自己的呼吸尽量平静下来。

海尔迦阿姨和马里乌斯姨父已经在改建小旅馆了,并且在逐步扩建一个个房间。这不禁让路克联想起一个不断用大木头垒叠起来的城堡。屋顶上,墙四面到处都装满了小窗户,而且这些窗户常常被常青藤所遮蔽,就像一幅充满神秘色彩的图画。

在所有的窗户后面,都悬挂着红白色方格子窗帘,窗台上放满了盛开着各种各样美丽花朵的小盒子,花儿像彩色的瀑布一样悬挂下来,好看极了。

海尔迦阿姨的卧室里黑漆漆的,她总是声称自己"睡得很死,就算打雷也吵不醒她"。这下路克的心情放松了许多,不必担心回家时被抓住了。

还有三个房间的窗户仍然亮着灯,直到今天还有路克不认识的新客人住进来。而路克总是极力避开那些陌生人,因为海尔迦阿姨总喜欢在客人面前搂着他的脖子,称他是自己"最宠爱的外甥,心肝宝贝",这让他感到十分难堪。

终于,路克的呼吸逐渐平静下来。他悄悄打开花园的小门,小心翼翼地从小石子路绕到草地上,因为那儿路面柔软,听不到脚步声。

突然,路克惊呆了。

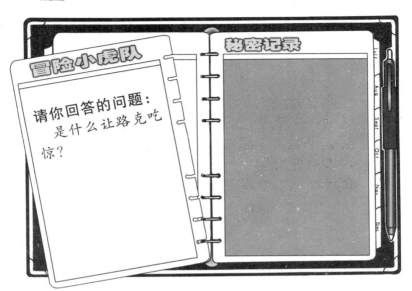

冒险小虎队

请你回答的问题：
　是什么让路克吃惊？

秘密记录

给碧吉的加密信函

"这下好了,我已经知道明天应该做些什么了。"路克像只小猫似的弓着身子,灵巧地穿过草地,来到墙脚边。在任何情况下,他都不愿意让那个正从窗户里往外张望的陌生客人发现自己。

路克紧贴着墙壁,小心翼翼地挪着步子,好不容易才走到自己房间的窗户底下。路克先将自己的包放了进去,接着迅速爬进窗户,"扑通"一声落在房间的地板上。

"天哪,在寂静的夜晚,这样清脆的声响肯定会让整个房子里的人都听到。"路克懊恼地拍了拍额头,责骂自己不应该犯如此低级的错误。

路克一动不动地蹲在地上,不安地等

29

待着什么……

海尔迦阿姨也许会过来查看一番。

马里乌斯姨父也有可能会闻声举起猎枪。

路克僵硬着身体一动也不敢动。他听见有人在楼上的房间里来回踱步，一张椅子被移动了，然后是床在"嘎嘎"作响。这幢房子的墙壁和地板似乎都像纸一样薄，路克甚至还听到楼上那个人关灯的声音。

所幸阿姨和姨父都没有出现，路克这才重新站了起来，慢慢地脱掉衣服。此时，即使他们来"查房"，只要路克穿着睡衣，那就无论如何都不会令人怀疑了。

路克迅速打点好一切，便坐到小桌子旁写密信，他必须尽快告诉碧吉这里所发生的一切。碧吉这个星期和她母亲一起去了希腊罗多岛上的一个度假俱乐部，正在那里忙着学习各种泳姿。

路克得意地看着写好的密信，有了这一招，海尔迦阿姨——她可能是世界上最好奇的人了——和旅馆里的其他人就都无法了解这封信的内容了。这封信的最后一段文字是这样的：

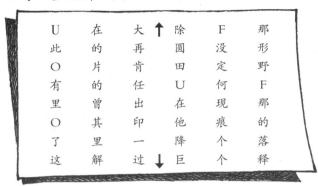

U	在	↑ 大	除	F	那
此	的	再	圆	没	形
O	片	肯	田	定	野
有	的	任	U	何	F
里	曾	出	在	现	那
O	其	印	他	痕	的
了	里	一	降	个	落
这	解	过 ↓	巨	个	释

冒险小虎队

请你回答的问题：
这封密信究竟写了些什么？
（请使用小虎密信解读卡对上面的密信进行解读。）

秘密记录

与此同时,帕特里克待在家里也觉得无聊透了,就像路克一样,他天天盼望着和伙伴们在一起。但遗憾的是,迄今为止,路克都不能说服海尔迦阿姨邀请帕特里克来做客。海尔迦阿姨总是和蔼地笑着回绝外甥:"不,不,不,两个像你一样调皮的人对我来说太多了。这一点你必须明白,路克,我的心肝宝贝。"

也许路克还是可以想个办法说服阿姨的。他无论如何都非常需要帕特里克的帮助,因为今天发生的事真是太奇怪了。那个UFO是从哪儿来的?又有多少人看到了?但更奇怪的是,为什么有这么多人躲藏在茂密的森林里?

他们难道已经知道将会有一艘宇宙飞船来临?这怎么可能呢?是谁把这个消息告诉他们的?那些灯光信号又是做什么用的?

在这件事情的背后,会隐藏着什么秘密呢?路克望着窗外的夜空一遍遍地问自己,却始终找不到答案。

　　除了青蛙仍在不知疲倦地"呱呱"地鸣叫之外，所有的声音似乎都消失了。这时，那只放在书架上并且发出"滴答"声的古老时钟的指针刚好指向午夜。

　　路克不禁想起阿姨常常挂在嘴边的顺口溜："鸡进窝，布拉森施坦因人就上床；鸡打鸣，布拉森施坦因人就下床。"这就意味着大部分人在电视还没播放主要节目之前，就已经上床睡觉了，而直到第二天早上五点钟或者六点钟的时候，才会起床活动。所以在这样的深夜，很可能没有人会察觉到这个 UFO 的踪迹。

　　就在路克上床之前，他来到窗台边，仰望着浩瀚无垠的天空，情不自禁地说了声："谢谢！"他从来没有想过，他的愿望能够这样快地实现，无论如何，那些流星还是挺管用的。

　　路克把眼镜轻轻地放在床头柜上，钻进被窝，但是，他现在毫无睡意。

　　路克在床上辗转反侧，难以入眠，一会

儿感到太热;一会儿又感到太冷。

　　"这是怎么了?难道我忘了什么?"路克心神不宁地喃喃自语。

　　突然,路克想起了一件重要的事情,必须马上加以解决。否则海尔迦阿姨明天一定会发觉他在夜里曾经离开过家,因为她不仅拥有一双敏锐的眼睛,而且还有一只嗅觉灵敏的鼻子。

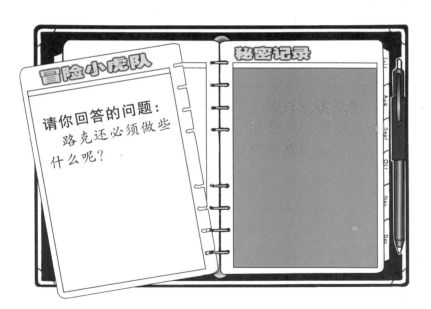

冒险小虎队

请你回答的问题:
　路克还必须做些什么呢?

秘密记录

你见到会飞的圆盘了吗

第二天早晨，路克被一个不断在耳边"嗡嗡"作响的声音吵醒了。

"太阳公公开口笑，小懒虫快快醒来了！"有一个他非常熟悉的人正在大声说话。

路克眯缝着眼，一副睡眼惺忪的样子。他疑惑地向声音发出的方向望去，模模糊糊地看到海尔迦阿姨那张红润的脸庞，不停地在他面前晃来晃去，她正笑眯眯地从床的一边转向另一边。

海尔迦阿姨总是让路克想起一只老母鸡，她每天不知疲倦地在房子和花园里忙这忙那。或许她还是一只正在孵蛋的母鸡，一旦她下了一个蛋，就会更加肆无忌惮地发出"咯咯"声。当然,海尔迦阿姨并不是真的像母鸡一样会下蛋。她的"蛋"就是那些餐桌上的美味佳肴,对此,性格开朗的她当然少不了滔滔不绝的长篇大论。

海尔迦阿姨动作利索地把眼镜架到路克的鼻梁上:"哦,我的心肝,这样你就可以看见,今天的天气是多么晴朗、美好。"她喋喋不休地来回嚷嚷着,并且一把就把被子掀了个底朝天。

"起来,起来,快起来!"海尔迦阿姨拍着手,毫不留情地把外甥从床上拉起来。

从过去几周的经验里得知,这时候任何一种反抗都是无济于事的,看来路克只好跟可爱的床说拜拜了。

路克打着哈欠刷好牙、穿好衣服后,迷迷糊糊地去厨房吃早餐。而海尔迦阿姨则又到别处忙去了。

"一个异常美好的早晨,我最亲爱的!"她唱着喊着,精神十足。

"我已经是一个小伙子了。"路克像受

到侮辱似的低声抱怨。

　　"但是,我指的并不是你!"阿姨像只母鸡似的又"咯咯"地叫了起来,"我只是向梅克夫人表示了问候,还有她那位可爱的先生!"海尔迦阿姨的视线越过路克的肩膀,正在向某人示意,很显然,他们正走在通向餐厅的路上。

　　路克朝身后看了一眼,并且马上意识到:这位梅克夫人和她的先生正是昨天夜里曾经坐在树林里高台上的人。

　　路克抿着嘴唇,急切地思考着如何才可以和那个女人搭上话。

37

海尔迦阿姨一边嘴里哼唱着小曲,一边为梅克一家准备早餐。她把果酱、茶、牛奶和新鲜的小面包放在一个托盘上,想把它拿到餐厅里去。路克眼珠一转,有了主意。

"请让我来!"路克殷勤地从阿姨手中接过托盘,微笑着说,"您已经辛苦一早上了,就让我来为你效劳吧!"

"你是多么讨人喜欢啊!"海尔迦阿姨开心地亲了路克一口。但是,她却不肯让路克一个人去,她跟在他旁边,若即若离,陪同他一起进入了餐厅。"他难道不是一个可爱的小男孩吗?"阿姨热情地招呼着客人,并且在路克的面颊上亲热地拧了一下。

梅克先生和夫人似乎并不习惯海尔迦阿姨的热情。梅克夫人给人的感觉是衣着毫无品味,如同一只灰色的老鼠;而梅克先生则像一头熊,他那浓密、深色的头发向后梳着,颇有精神。

路克把吃的东西摆放好,并且用一种

勉强和笨拙的眼光朝梅克夫妇瞥了几眼，装出一副乡下孩子怕见生人的模样。而海尔迦阿姨则像监工似的仔细看着他的每一个动作。

这时候，客厅里的电话铃响了起来，路克的机会来了，海尔迦阿姨操着大嗓门叫唤马里乌斯姨父去接电话，但没有任何回音，这样她就不得不自己去接听了。

当梅克夫人斟茶时，路克不动声色地来到她身边，压低了嗓音神秘兮兮地问："夫人，您昨天有没有看到那只会飞的圆盘?"

一听到这话，梅克夫人手一抖，失手使茶壶掉到了茶杯上，茶水和碎片落了一

地。

"是的,是的,我看到了那艘宇宙飞船。"她的声音由于激动而显得有些颤抖,"难道你也看见了?"

路克表情严肃地点点头。

梅克先生阴沉着脸,在独自发呆,他妻子用肘关节轻轻碰了碰他:"你也说说吧,你不是也看见了吗,贝托尔特!"

梅克先生狠狠地瞪了妻子一眼,什么也没说,自顾自地咬了一口面包。

"我起初在想,这种事情是根本不可能发生的。"梅克夫人见丈夫没有反应,便顾自轻声与路克交谈起来,"但是现在,我自己也亲眼目睹了这一切,而且……"

话讲到一半,梅克夫人突然刹住了,路克察觉到她全身颤抖了一下。大概是她丈夫在桌子底下踩了她一脚,警告她别再喋喋不休了。

梅克夫人抱歉地耸了耸肩膀,开始专心地往自己的小面包上涂抹果酱。路克很清楚,眼下再也不可能从她这儿打听到什么了。

这时候,路克想起还有件重要的事要办。他恳求海尔迦阿姨能提供方便,阿姨迟疑片刻才允许他使用放置在贮藏室(阿姨称之为办公室)中的传真机。给碧吉的密信终于顺利地发出了。同时,路克又在那里给帕特里克打了一个电话,但帕特里克还在睡觉,因为现在才早上七点半!

当梅克夫妇还在吃饭时,海尔迦阿姨已经很快地整理好他们的床铺,并且用吸尘器打扫整个房间。当路克蹑手蹑脚地试图进入这个房间时,阿姨马上将他打发到走廊上。

"不可以随便进入客人的房间!"阿姨像保护自己的窝一样,禁止任何人的侵扰。

路克只好乖乖地站在门边,匆匆地用目光扫视整个房间。有很多东西让他心动,只是怎样才能把它们弄到手呢?

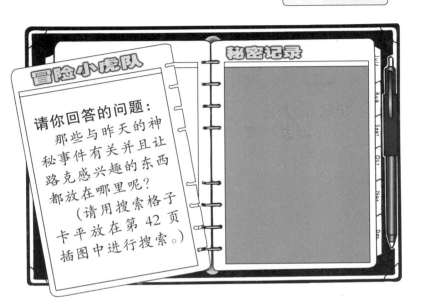

冒险小虎队

秘密记录

请你回答的问题:

　　那些与昨天的神秘事件有关并且让路克感兴趣的东西都放在哪里呢?

　　（请用搜索格子卡平放在第 42 页插图中进行搜索。）

太空陵墓

当海尔迦阿姨拿着装满垃圾的废纸篓准备离开这个房间的时候,路克知道好机会来了。

"要不要我帮您把这些垃圾搬出去?"路克讨好地揉揉阿姨的肩膀,一副乖模样。

"噢,你真是我的好外甥!"海尔迦阿姨高兴地把废纸篓递给路克,还不忘亲热地拧拧他的面颊,"快去,快去,好孩子可不该偷懒!"

这回,路克破例没有对她这种过于亲热的举动表示抗议。路克左手提着废纸篓,右手拎着满满一袋垃圾飞快地跑出房子。

垃圾桶就在花园的门旁,路克把废纸篓里的东西统统倾倒出来。他警惕地看了看四周,确定一切安全之后,便快速地拿起丢在废纸篓里的那本 UFO 杂志,只一眨眼工夫就把它塞进了自己的 T 恤衫里。

路克把废纸篓重新放回去之后,把"战利品"拿回了自己的房间。

这本杂志非常厚,里面的内容丰富翔实,发生在世界各地的有关宇宙飞船或者外星人的报道随处可见。

在杂志的末尾,路克偶然看到一篇写了满满一页纸的文章,标题是:太空陵墓。

这篇文章是由一位名叫希罗纽姆斯·居尔森的教授撰写的。路克像着了魔似的凝视着那张有关古老陵墓的照片。在这张照片的下面写道:

这座离开布拉森施坦因短短几公里的墓地,应该是外星人的坟墓。

离开布拉森施坦因短短几公里?那就是说,在这个小村庄的附近就隐藏着一个足可以轰动世界的头号新闻!路克全身热血沸腾,这简直太令人激动了,因为迄今为止他对此还一无所知。

也许,UFO 到这里来,是为了取回外星人的尸骨?为什么会有外星人被安葬在这里呢?

这则报道写得晦涩难懂,全文罗列了很多专业术语,即使像路克这样的科普迷,也不明白其中的许多概念。

这篇文章基本上介绍了这样一些内容:希罗纽姆斯·居尔森教授拥有许多关于这个森林墓地的文献资料,而且他确信,在这个坟墓里有一具外星人的尸骨。居尔森教授认为:布拉森施坦因附近曾经有过来自外太空的造访者,是他们建造了这个坟墓。但关于这个坟墓的精确位置,他却没有提供任何公开信息,而只愿意与读者进行私下交流,到时候他将很乐意提供更进一步的详细情况。作为联系的途径,杂志还提供了一个 E-mail 地址。

"热,这鬼天气真是太热了!"路克抹了抹脸上的汗水,真不知道这汗是太阳晒的还是因为兴奋而冒出来的。

　　"是的,这真的是一个很热的天气!"海尔迦阿姨不知从哪儿突然冒了出来。像被一只马蜂在屁股上狠狠地蜇了一下,路克吓得跳了起来,两只手臂把杂志紧紧地抱在胸前。

　　"我是不是吓着你了,小宝贝?我可真不是故意的!"阿姨又恢复了她叽叽喳喳的大嗓门,真不知道她刚才施了什么法术,才能悄无声息地走进房间里来的。

　　"你到底在看些什么?"海尔迦阿姨对

一切事物都感到好奇，并且伸手去抓那本杂志。

路克巧妙地避开阿姨的手，嘻皮笑脸地耍起了赖皮："只是一本连环画册。"

海尔迦阿姨狠狠地瞪了路克一眼，开始喋喋不休地唠叨起来："连环画对孩子们可没好处，你还是应该在假期里多多复习功课。"

"功课？对了！"路克突然想到了一个好主意。他装出一副惋惜的样子，心事重重地说，"您是正确的，阿姨。现在您让我想到了我的朋友帕特里克，对于他，我感到非常内疚。"

"为什么呢？"

"那个可怜虫在今年秋天将参加一个考试，为了有好成绩，他必须在假期里拼命地用功学习。但是他的父母手头很紧，负担不起聘请家庭教师的费用，因此他们很想请我帮助帕特里克。但遗憾的是……"路克耷拉着脑袋，神情显得很不安，"我不在家，而是在这里。帕特里克非常绝望，因为他很可能无法取得好成绩。"

海尔迦阿姨听了十分吃惊："路克是一个多么好的孩子呀！"她感动得几乎要流下泪来。"原来你是想帮助你的朋友，那你为什么不早一点说呢？你应该马上邀请他到这里来。"

路克表演得非常逼真，他使劲揉了揉眼睛，甚至还带着一丝哭腔："只是……如果不会让您太麻烦的话。"

"小宝贝，我保证一点也不参与你们的事情。你们肯定会整天都待在房间里面，努力地学习，是吗？"

"唉……是的是的。"其实，路克从来就没有这种打算，只是海尔迦阿姨不知道他内心的秘密。现在最重要的是，他能够把帕特里克叫到布拉森施坦因来。

当路克给帕特里克打电话时，帕特里克爽快地接受了邀请。但帕特里克要在两天后才能过来，因为他还要去参加一个亲戚的生日晚会。

当路克离开海尔迦阿姨那极小的办公室时,他简直要为自己的表演天分大声喝彩了。

接下来,路克准备与梅克夫人好好地谈一谈,对于来自宇宙的 UFO 和外星人,她似乎要比她的丈夫更感兴趣。

但梅克夫妇早就不在餐厅里了,也不在他们自己的房间里。

路克走到这幢房子的前面时,恰巧与马里乌斯姨父碰上了。姨父个子高大、脸庞消瘦,路克常常把他比作一只正在进行特殊饮食疗法的火鸡。

"你要到哪里去,年轻的朋友?"马里乌斯姨父冲着路克笑笑。

"你有没有看见梅克夫妇?"

"他们骑着自行车刚走!"姨父回答道。

路克飞快地跑到街上,望着通往山上和山下的道路,却没有发现他们夫妻俩。

梅克夫妇不见了!而马里乌斯姨父也

不知道他们是朝哪个方向走的。

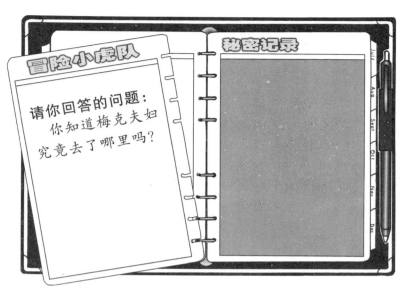

冒险小虎队

请你回答的问题：
你知道梅克夫妇
究竟去了哪里吗？

秘密记录

梅克夫人的太空梦

　　这时候,马里乌斯姨父正专心致志地打扫着门前的空地,他和海尔迦阿姨最看重干净和清洁。平常邋里邋遢惯了的路克却一反常态地主动表示愿意和他们一起参加劳动,而他的"勤劳"赢得了姨父的连声称赞:"哎,这是一个多么乐于助人的小家伙啊!"

　　路克乐颠颠地去打扫屋后的石子路,虽然那儿连一根微小的杂草也没有。总之,他突如其来的洁癖只有一个原因:梅克夫妇正在这幢房子的后面激烈地争论着。

　　"弗朗切斯卡,我并不想让你做这种乱七八糟的事情。"梅克先生语气强硬。

　　"求你了,贝托尔特,请不要这样!现在我什么都没做呢!请你让我也拥有一份小小的快乐吧。"他的妻子央求道。

"在这件事情上我有一种不好的感觉。"梅克先生语气沉重。

"你也亲眼看见过，我们曾经成功地把UFO吸引过来了，而我也将成为第一个乘坐宇宙飞船飞往太空的地球人!"为了强调这一点，梅克夫人还加重语气补充了一句，"难道你不觉得这是一件很有意义的事情吗?"

"好吧，你爱干什么就干什么吧!但是，请不要动用我的钱!"贝托尔特·梅克不得不使出杀手锏。梅克这样说的目的只是想使妻子能赶快放弃她的太空旅行计划。

路克仍然"用心"地扫着一尘不染的地面，似乎他什么也没有听到。

"我不需要你的钱!"梅克夫人涨红了脸，生气地独自一个人骑着车走了，但她的骑车技术并不那么纯熟。车把和车轮一开始就摇摆得很厉害。

"我要去处理一些小事，马上就回来!"

路克通过敞开的厨房窗户,对海尔迦阿姨说了一声,就骑着姨父的自行车出门了。

这是一辆老掉牙的并且十分笨重的自行车。路克不得不像骑摩托车似的,用尽力气猛蹬踏板。

梅克夫人沿着街道朝布拉森施坦因的方向骑去。路克小心翼翼地跟着她,距离既不太远也不太近;既不能让她脱离自己的视线,也不能让她发现。

梅克夫人的目的地是天使饭店,路克本来想跟她进去探个究竟。但正想开门的时候,他听到她的声音就在门背后了。

"谢谢,再见!"她说道。

路克马上背转身子,幸好还来得及躲避。

梅克夫人手上拿着一张纸条,快步来到大街上。路克透过拐角监视着梅克夫人的一举一动,他看到她的手指在不停地抖动。当她骑上自行车时,有好几次都差点从车上摔下来。最后,她终于摇摇晃晃地继续上路了。

路克还是再停留了一会儿,确定梅克夫人不会发现自己之后,才开始继续跟踪。

　　"停下!"突然,一名警察拦住了路克的去路,神情严肃地把路克从头到脚打量了一番。

　　"你的年龄足够大了吗,可以单独在街道上骑自行车了吗?"警察的口气很严厉。

　　路克最讨厌那些自以为是的人,他不情愿地从口袋里掏出自己的证件。警察仔细地检查了证件,并且把证件上的照片与路克的脸互相对比了好几次。

　　"嗯,是的,不过这张照片看起来与你并不十分相似。"

　　"当然,我比照片要显得更加年轻一些。"路克伸长脖子,尽可能地不让梅克夫人离开自己的视线。

　　"你并不是布拉森施坦因人,"警察还在询问他,"你是在这里度假的吗?"

　　"是的,是的,请您快点让我走吧!"路克不耐烦地乞求道。

"小孩子可不应该这样性急。"警察还没有放路克走,他已经调转话题,开始数落路克这辆老掉牙的自行车的不是。此刻,路克因为着急脸都涨红了,好不容易跟踪上的目标,很快就要离开自己的视线了。

"这辆车是我姨父马里乌斯的,"路克实在受不了警察的唠叨了,"请您到他那儿去提意见吧。"

"噢,马里乌斯?不,不,那最好还是算了!他可曾是我学校里的老师。"这个警察突然像犯了错误的小学生似的结巴起来。这下路克终于可以走了。

路克现在除了询问路人是否曾经见过一个骑车的女人以外,已经没有其他任何办法了。不过庆幸的是,梅克夫人身穿一件非常醒目的嫩黄色女式衬衫。一个正在给百叶窗刷油漆的男人说见过她,并给路克指明了继续追踪的方向。

路克飞快地骑车追赶,在一个铁路交叉道口,路克不得不刹住车。道口的栅栏已经放下，预警红灯在不停地闪烁。

　　就在这个道口前的沥青路面上，有一块洼地，里面积满了水。路克在这个长长的小水坑前面发现了好多条自行车的车痕。也许梅克夫人就是从这里经过的。

铁路交叉道口

　　在道口栅栏的前面，道路像树枝似的开始分岔。一条向左，一条向右。

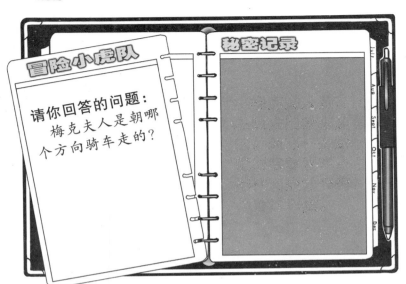

冒险小虎队

请你回答的问题：
梅克夫人是朝哪
个方向骑车走的？

秘密记录

神秘的"蓝色"女人

路克照着自己的判断骑行了一段距离之后,梅克夫人终于又进入了他的视线。在一辆房车前面,梅克夫人迫不及待地从自行车上跳了下来,还来不及给车上锁,就任由车子摔倒在地上。她整了整裤子和衬衫,又理了理头发,然后举手敲门。门开了,一只手伸了出来,并且做了一个请进的手势。

路克把姨父的自行车隐藏在路旁的灌木丛里,弯腰迅速跑进路边的一片庄稼地。

借着麦穗、草丛的掩护,路克匍匐前行,靠近了房车。在一扇窄窄的窗子底下,他小心翼翼地抬头向里张望。房车里只有一张靠着墙的桌子,梅克夫人坐在桌子的左边,另一个女人则坐在右边。

但那个女人的外貌让路克的眉头紧紧地锁在了一起。

她的头发是湛蓝色的,嘴唇和手指甲也发出诡异的蓝光。在她那高高的颧骨上挂着金属饰片,当她闭上眼睛时,还可以看见她的眼皮上涂抹着天蓝色的眼影。

透过玻璃窗,路克可以听到那个女人在说话。她的声音软软的、淡淡的,犹如一缕青烟在屋子里弥漫,充满了神秘感。

"我们猜测,昨天来的可能是另一个星系的访问者,那个星系大约距离我们的地球 2200 光年。"

梅克夫人聚精会神地倾听着,并且不断地点头附和。她的儿童发式看起来像是用一把修剪树枝的大剪刀剪的,参差不齐。只要她一摇脑袋,头发就会来回地晃动。

"着陆已经成功了,正如人们在田野里能够辨认出来的印痕一样。"那个女人继续说道。

"呃,请问,您叫什么名字?"

"银河！"

"银河……女士？"梅克夫人虔诚但又不太确信地说出了这个名字。

"蓝色"女人点了点头："那就是我的名字，它表达了我与整个宇宙的联系。"她用手梳理了一下蓝色的头发，接下去说道，"我们的星际组织对地球上好几千个地方进行了测量：一艘宇宙飞船在到达地球之前，它所发出的信号和宇宙射线会大幅度地增加，这就预示着宇宙飞船即将降临。然后，我们就会通知组织内的所有成员——如果这个地点合适的话——准备举行欢迎仪式。这种联系越来越频繁，外星人对我们的信任度也越来越高。我可以非常肯定地告诉你，我们终将会被其中的一艘飞船所接纳。"

梅克夫人看起来似乎只听懂了一半，但是这不会减弱她对宇宙奥秘的好奇心。

"如果要加入你们的协会，需要支付多少钱呢？"

银河女士像对待一个愚蠢的孩子一样，向她露出了灿烂的笑容："要加入我们的组织，"——她特别强调了后面半句话——"是昂贵的。因为我们的仪器装置和我们的开支都是非常昂贵的。"

银河女士说出的入会金额让路克大吃一惊，这样一大笔钱足足可以买一辆高档小汽车了。

尽管如此，梅克夫人还是签了名。银河女士代表星际组织对新成员的加入表示了热烈的欢迎。

路克计算着梅克夫人很快会离开这辆房车，因此他取了自行车，迅速地骑走了。

"事情有些奇怪，却又说不出哪儿不对劲。"路克踏着自行车，暗自思考着整件事情的来龙去脉。如果我没有亲眼看到过那个UFO，尤其是那个留在庄稼地里的印痕的话，那么我要说，这里正在进行一次带有欺诈性的活动。当然那个神秘的印痕还需要进一步检查。

路克决定晚些时候再到飞船出现过的地方去一趟，并且更加仔细地检查一下田地里出现的神秘图案。

中午时分，海尔迦阿姨的旅馆里热闹非凡，人们七嘴八舌，讨论的主题只有一个：UFO。布拉森施坦因的许多人都在谈论这艘宇宙飞船，因为那个留在田野里的巨大印痕实在是太令人惊讶了。这让大家对UFO曾经在这里降落过的说法深信不疑。那块耕地的主人非常激动，已经有好几百人来争相观看那个神奇的巨型图案了。

路克没有泄露他也同样看到了那个UFO的秘密，否则的话，阿姨肯定会用大量的问题来纠缠他，让他心烦意乱。

说话间，从外面传来了一声惊天动地的霹雳声。这时，整个绿阴环抱的圆锥形山峰上空，堆积着深灰色的巨大云团。当海尔迦阿姨把带有樱桃的巧克力布丁端上餐桌的时候，花园里就噼噼啪啪地下起了久违的甘霖。闪电过后，雷声大作，狂风暴雨使得整幢房子都在颤抖。

阿姨一下子忙乱起来，焦急地把房间里所有的插头都从插座里拔出来。她害怕极了，这种闪电危险性很大，如果不幸击中自己的房子，就会摧毁所有的家用电器。

天空变得像夜晚一样漆黑，雨"哗哗"地下个不停。不一会儿，雨就变成像乒乓球一样大小的冰雹落了下来。

刚才还精神抖擞的蔬菜一下子就被打蔫了，树上的叶子被风雨纷纷击落，昨天还娇艳美丽的花朵也垂头丧气地落了一地。

两个小时之后，在房子前面的街道上，出现了一条小溪流。雨水伴着泥沙流进了阿姨家的地下室，那里一下子就成了水窖，情况糟透了。

在这一天剩下的时间里，路克一直都穿着橡胶靴，他和马里乌斯姨父一起，用提桶不停地舀着地下室里的积水。虽然海尔迦阿姨像一位中士一样指挥着他们，而他们的动作也像使用咖啡匙一样熟练，但那里的水还是没有减少。

后来，消防车来了，这才把污水、泥沙和石块都抽吸到室外。

入夜时分,路克精疲力竭地躺在床上。但有一点他非常清楚:田野里的印痕被破坏了,UFO的痕迹没有了。

"但是,我的确曾经看到过那艘宇宙飞船。"路克自言自语地嘟哝着。

虽然路克累得全身像散了架似的,手臂和大腿也都像灌了铅一样沉重,但他始终难以入眠,并且不停地辗转反侧。最后他不得不起床,走到窗台边,眺望着被雨水冲刷得分外清静的夜空。

这时,在布拉森施坦因的上空弥漫着一条薄薄的雾带,所有的路灯都发出一种橙色的光芒,灯光使雾带的底部也染上了橙黄的颜色。

路克打开窗户,清凉的空气扑面而来,间或还能够闻到青草、湿润的泥土和苔藓的气息。

不知道为什么,路克突然又想起了那个外星人的陵墓,他把那本UFO杂志藏在一幅油画的后面,那画上画的是一只不停地叫唤着妈妈的小鹿。路克再一次把那篇有关外星人陵墓的报道从头到尾、仔仔细细地读了一遍。然后他取出自己的电脑，并且打开了发送 E-mail 的程序。

"如果我写上自己的真实年龄，那位居尔森教授肯定不会给我任何答复的。"路克暗自思量着。好！就这么办！他用两根手指打了一封短信。在信里，他假称自己是路卡斯·坎平斯基博士，业余爱好是研究 UFO。他请求对方针对太空陵墓的情况给予更进一步的说明，因为他怀疑来自宇宙的造访者已经光临地球，更是怀疑他们来地球的目的就是为了取走那具安葬在这里的外星人遗骸。当然，路克也提到了昨天晚上他对这个 UFO 的观察情况。

现在，路克从父亲那里得到的一个小玩意儿可派上了大用场。他把一个小盒子大小的仪器插在电脑的接口上。这个仪器拥有一根小小的天线，并有类似于手机的功能，只不过不能用它来打电话。借助这个

仪器,路克可以接通因特网。再次确认了电子邮件的内容之后,他点击了发送键,把E-mail发送给了居尔森教授。

可奇怪的事情发生了。这封E-mail仍然留在他的电脑里,并没有被发送出去。而且在每一次发送时,电脑都会发出一种尖锐的啸叫声。

路克疑惑地仰望着天空,是外星人在耍把戏吗?他们是在阻止我与外星球有某种联系吗?

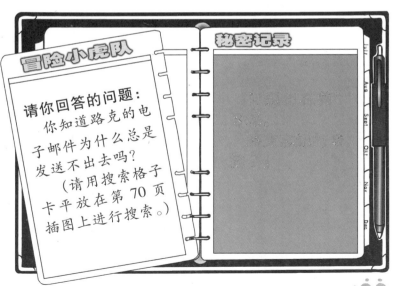

冒险小虎队

秘密记录

请你回答的问题:
你知道路克的电子邮件为什么总是发送不出去吗?
(请用搜索格子卡平放在第70页插图上进行搜索。)

七个灰色间谍

　　最后,这份 E-mail 终于发送成功了。路克把身体往椅背上一靠,两手交叉在脑后,目光还沉醉于夜空之中。

　　是不是真的有来自宇宙的访客呢?但愿居尔森教授马上就能解答我的疑问。路克心急地不断查询是否有新的消息抵达自己的电子信箱,但每次都只听到那声低沉的"扑隆"声,这意味着"不"。"耐心点!信才发出去短短几分钟而已,再等等!"路克不断地用这种想法来安慰自己。

　　也许,我可以在因特网上了解到更多的关于希罗纽姆斯·居尔森教授的情况。路克说干就干,他调出一个搜索程序,把这个不寻常的名字输了进去,按下"搜索"键。屏

幕上立刻出现了一枝箭,它像一条想咬住自己尾巴的狗一样飞速地旋转起来。随着"冬"的一声,搜索的结果出现了:

关于居尔森教授的信息,共有十个不同的网页。路克马上点击第一个网页,进入了这位 UFO 研究者的信息库。

当路克仔细阅读关于居尔森的信息时,他的眼睛越睁越大。

居尔森教授对 UFO 的研究和推理长达五十年之久,他几乎周游了整个世界,巡察那些所谓的曾经有宇宙飞船降落过的地方。但是,他却从来没有发表过任何有关外星来客的研究成果,只是简略地谈了谈他在考察中的发现罢了。

而网上的一个意外发现又让路克不知所措——居尔森教授竟然已经离开人世十五年了。

为什么一个死人会在一本 UFO 杂志上撰写文章,而死去的人又该怎样回复自己的 E-mail 呢?路克不禁自问,他找不到任何解释,并且也没有得到对自己那封 E-mail 的任何答复。夜已经很深了,路克渐渐地进入了梦乡。

第二天,大雨倾盆而下,路克不得不待在家里,并且每隔三十分钟就去检查一下他的电子信箱,但是始终都没有收到居尔森教授的任何消息。

当雨点重重地敲击着窗玻璃的时候,路克躺回到自己的床上,悠闲地浏览着那本 UFO 杂志。突然,他注意到一则被忽略了的报道:

灰色间谍

有七位 UFO 研究专家,没有人知道他们的名字。

这七个人,身穿灰色立领西服,总是戴着太阳眼镜以及灰色的头盔。

他们是七个秘密间谍,正在探寻地球上所有的超常现象。

"一切都太不可思议了。"据说这些灰

色间谍已经收集到了一些 UFO 残骸的碎片,并且曾多次与其他外星系的生物取得过联系。在一个秘密的而且被严格保护的档案里,存放着这些报告。

虽然从来没有人能更多地了解关于这七个灰色间谍的情况,但是毫无疑问,这七个灰色间谍确实存在。

这真是一项很酷的工作!路克情不自禁地吹起了口哨。周游世界,寻找 UFO 的踪迹——这听起来是多么的美妙!

下午的时候,梅克夫人——弗朗切斯卡·梅克和海尔迦阿姨一道喝着咖啡,梅克夫人神秘兮兮地向阿姨讲起了有关 UFO 的许多秘密。当时,路克正好想从冰箱里拿一罐可乐,于是就在厨房门口停了下来,修剪着自己的指甲。

"我没有在偷听!我仅仅是在清洁自己的手指甲!"但在心里,路克不得不暗暗嘲笑自己那个小小的托词。

"我丈夫贝托尔特·梅克一直反对,但

是我已经加入了星际组织,并且还支付了会员费。"

梅克夫人用手掩住嘴尽量压低声音:"我敢打赌,还有另外一些看到过那个UFO降落的目击者,也都已经成为星际组织的会员了。"

接下来,梅克夫人还讲述了他们联络外星人的灯光信号;也讲到在不久的将来,即将发生的另外几次UFO降落事件。梅克夫人神情陶醉地表示,她一直期望去现场欢迎外星人的到来。

"而且,有一天它会离开我们,飞往遥远的宇宙太空。"梅克夫人沉吟着结束了这次谈话。

海尔迦阿姨当时唯一的评论是:"我不愿意上飞机,因为它可能会坠毁,而这样一个UFO肯定更加危险,不知道在这种飞船上究竟有没有配备安全带?"

"好啊,你在那儿干什么,路克朋友?"

路克吃惊地转过身子,他没想到姨父

突然从他身后冒了出来,并且用通红的双眼仔细地打量着他。

"你大概在偷听吧?"马里乌斯姨父紧盯着路克的眼睛,像要把他的内心看透似的。

"我?不!"路克装出一副无辜的样子,不停地挥动自己的手臂。

"这儿,这封信是写给你的,刚刚收到!"马里乌斯姨父递给路克一份传真。路克只瞟了一眼,就知道这份传真是碧吉发来的,她给他寄来了一张不太清晰的照片。这张照片是从一张报纸上撕下来的,而照片下面还有一则密码短信。

"我看我应该向你的阿姨告发，你收到了密码信息。"马里乌斯姨父威胁道，"这肯定会让她不高兴的。"

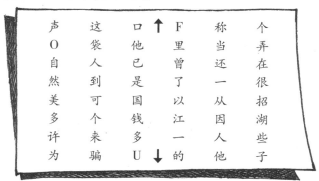

个弄在很招湖些子
称当还一从因人他
F里曾了以江一的
↑口他已是国钱多U↓
这袋人到可个来骗
声O自然美多许为

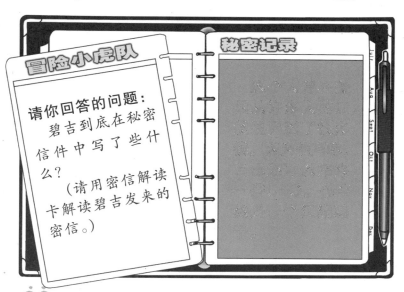

冒险小虎队

请你回答的问题：
碧吉到底在秘密信件中写了些什么？
（请用密信解读卡解读碧吉发来的密信。）

秘密记录

"朋友之间难道就不能开点小小的玩笑吗?"路克叽里咕噜地抱怨了几句,便拿着传真回到了自己的房间。

路克把纸条捋平,出神地凝视着纸上的一张照片。这个人现在会不会已经到了欧洲,并且还在利用一些人的幼稚想法,继续干着骗人的勾当?

"这个人肯定不是银河女士。"路克紧锁着眉头,努力思索着,"但是我觉得他有点眼熟。"

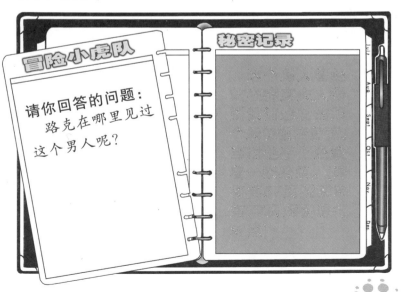

冒险小虎队

请你回答的问题:
　路克在哪里见过这个男人呢?

秘密记录

亡灵发来 E-mail

路克腾地跳起来,跑出了房间。梅克夫妇就住在他房间的上面一层,在短暂的犹豫之后,路克敲响了房门。

"哎……请进。"从屋内传来梅克先生低沉的声音。

路克推开门,悄悄把头伸进房间,只见梅克先生正端坐在一张靠背椅子上,津津有味地看着报纸。

"请您原谅我的鲁莽,"路克客气地向梅克先生解释他的来意,"但是我必须提醒您。"

梅克先生放下报纸,吃惊地看着他。

"提醒?提醒什么?"

"您的夫人想加入那个引诱和迎接UFO的星际组织。"

梅克先生的眉头骤然锁紧了。

"你是从哪里知道这件事的,你在窥探别人的隐私?"

"不,"眼前的男人看上去很愤怒,路克只好撒了个谎,"我……我只是刚刚听说。您的夫人向我的阿姨讲述了有关UFO的一些情况。"

梅克先生的手指像鹰爪般死死地抓住路克的肩膀:"如果你敢和任何人讲起这件事,那么我就会找你算账的。"

"您的夫人估计已经上了骗子的当!"路克好不容易从牙齿缝里挤出这几个字。肩膀实在被拽得太疼了,路克整个身体像虾米似的缩成了一团。

"你有什么证据吗?"梅克先生这才将信将疑地松了手。

"有的!"路克龇着牙,不停地揉着酸痛的肩膀。

"有哪些证据?快拿出来。"

路克从后面的裤袋里取出了那份折得

81

像豆腐干似的传真,并把它递给了梅克先生。梅克先生打开这份传真,仔细打量了一下那个男人的照片:"那又怎么样?我根本不认识这个人。"

"这个骗子已经在美国实施了类似的骗局,他现在这样做只是为了寻找一块新的领地,好诈取更多的金钱。"

在路克还能够做一些事情之前,梅克先生已经把这份传真撕碎了。他把这些碎纸屑塞进自己的裤袋里,然后一把抓住路克的衬衫,把他拉到自己的鼻子跟前。

"听着,你这个令人厌烦、自以为是的

小子!请把你的眼睛放在自己的教科书上,而不是那些与你根本无关的事情上!"梅克先生恶狠狠地警告着。

为了摆脱目前的不利局面,路克只好赞同地点点头。随即,梅克先生把他推到走廊上,"砰"的一声关上了门。

路克不知所措地站在那儿,心里很不是滋味。我究竟做错了什么?我只不过是想警告梅克夫妇提防一个骗子罢了。

"路克,有电话找你!"海尔迦阿姨清脆的声音从楼下传来。路克快步跑下楼梯,从阿姨手中接过听筒。

"你好,老伙计,我是碧吉!"碧吉是小虎队中唯一的女队员,她的声音听起来总是那么精力充沛。

"你是从希腊打来电话的吗?"路克又惊又喜,马上就忘了刚才的不愉快。

"不,我已经回家了。爸爸去上班了,他为一家工厂建造的机器人出现了故障,所以我们提早回来了。"

"帕特里克明天会上我这儿来!"路克告诉她。

"那么,我也一起来!"碧吉兴奋地嚷嚷起来,她知道肯定有好玩的事发生了。

"呃……那我得先问一下我的阿姨。"路克尴尬地挠了挠耳朵。

"你想要问我什么事情?"在他们交谈期间,海尔迦阿姨一直站在路克的身后。

"碧吉也要……学习,"路克结结巴巴地说,"如果她也一起来,明天……你不会反对吧!"

"当然不会反对。我认为,只要你们有上进心,我们必须支持。"阿姨摸摸路克的头,又拍拍他的脸颊,似乎他还是一个裹着尿布的小孩子。

"可以了,碧吉。"路克松了一口气,没想到阿姨这么爽快就答应了,"明天我会去火车站接你们,你们什么时候抵达?"

"上午十一点。"

"没有问题,到时候见!"因为海尔迦阿

姨一直在旁边,并且她的耳朵越来越靠近听筒。路克很快就挂掉了电话,他尴尬地笑笑,迅速溜回自己的房间,以便在好奇的阿姨发问之前拥有一点宁静的时光。

回到房间,路克很快就有了令他十分意外的发现。那个已经去世的希罗纽姆斯·居尔森教授竟然真的给他发来了电子邮件。路克心跳加速,他屏住呼吸敲击了一下键盘,E-mail 被打开了:

您并不是什么 UFO 专家,而是一个傻瓜,如果您已经掉进这个骗局的话,我对像您这样的笨蛋当然不会透露任何消息。

路克失望地瘫倒在床上,这并不是他想要的答案。

究竟是谁在假借居尔森教授的名义向外发布消息,而且似乎还左右逢源?路克知道,这件事情的真相肯定和那个在庄稼地里出现过的 UFO 有关。

路克制订出一个大胆的计划,他点击了那个用于"回复"的图标,又给那个陌生人发了一封 E-mail：

我并不是一个傻瓜，但您是谁？难道是那个早已去世的居尔森教授的幽灵？难道您刚从天国旅行回来吗？一个幽灵是怎样写 E-mail 的？这真的让我非常感兴趣！

E-mail 发出之后，路克不停地在房间里来回走动，脑子也在飞速地转动，但任凭他想破脑袋，还是没理出个头绪来。

路克心不在焉地凝视着窗外。雨渐渐小下来了，在布拉森施坦因的上空，又重新飘浮着一条拖着长长尾巴的薄雾带，就像

一块轻纱柔和地笼罩着大地，这让路克想起了昨天晚上的那条雾带。忽然，路克又发现自己眼前这条薄雾带的底部，由于街灯的照射被染上了橙黄色。

"幻灯投影！"路克突然开窍似的低呼一声，"那个UFO也许仅仅只是由光线组成的，常人完全可以从地面上将一个强大的探照灯的光影投射到一片云彩上，或者投射到云雾里。而照明范围可大可小，收放自如。这样的话，通过调节光影的大小就可以产生出这种景象：UFO是在远离，或者在靠近地球。"

但是，那种UFO在田野里着陆的场面，又是怎样伪装出来的呢？

路克突然想起了自己的数码照相机，他可以把里面的照片转录到便携式电脑上，以便进行更加深入的观察研究。通过电脑处理，可以把这些照片弄得更清楚一些，或者放得更大一些，那样也许会有新的发现。路克马上就开始行动。

冒险小虎队

秘密记录

请你回答的问题：

通过照片，你能推断出庄稼地里的那些圆圈是怎样形成的吗？

小虎队集结

路克很想再和梅克夫人谈谈,但是在这一天剩下的时间里,她却始终没有露面。而路克也不敢去敲她的房门,梅克先生的威胁让他胆战心惊。

下一步该着手干些什么呢?路克把各种不同的想法在脑子里统统梳理了一遍,他心神不宁地在房间里踱来踱去,就像一头被关在笼子里的猎豹,烦躁不安。

还是等碧吉和帕特里克到了之后再行动吧!路克终于作了决定。

这天下午,那个假希罗纽姆斯·居尔森竟然又发来了第二封电子邮件:

您似乎非常熟悉那些事情!

我已经掌握了有关这个外星人坟墓的

重要资料。聪明的您可以想一想,我是从哪里得到这些信息的。

如果您有兴趣,或许我们可以见面详谈。

打铁要趁热,路克是不会错过这样一个好机会的,他立刻作了回复:

为什么我们不能马上就在这个坟墓的旁边会面呢?

但这次,路克没有得到任何回复。直到深夜十一点,他还最后一次查看了电子邮箱,依然毫无音讯。路克疲倦地倒在床上,很快就睡着了。

第二天早晨,信箱里还是没有那个假居尔森的任何消息。路克只好重新找出那些庄稼地里的照片,以便再一次仔细地看看它们,但是他却犯了一个可笑的错误。由于操作失误,他存放在电脑中的照片,被全部删除了。

这还真是一个倒霉的早晨,要不是海尔迦阿姨在责骂声中给予提醒,路克差点忘记今天早上还要去火车站接人呢。

对于教训人,阿姨总有的是时间,但是她却没工夫开车送路克到火车站去。

"我还得收拾房间,而且你的姨父也必须帮忙。"

于是,路克只好一个人步行去接他的朋友们。

火车站里拥挤不堪,就像一个蚂蚁窝。所有抵达车站的火车运送着南来北往的旅客,他们都想来一睹神秘的 UFO。

帕特里克和碧吉乘坐的火车准时抵达车站,当车门发出"嘶嘶"的声响缓缓打开时,路克马上就听到了朋友们熟悉的声音。

"喂,路克,我们在这里!"

路克兴奋地朝他俩迎过去,三个人习惯性地以相互击掌表示问候。在站台上,路克就迫不及待地向同伴们报告有关 UFO 的情况,以及前几天所发生的一切稀奇古怪的事情。路克说得又急又快,而帕特里克和碧吉则似懂非懂地听着。

"请你慢一点,"碧吉要路克放慢语速,

"那些照片都是有利的证据。既然这个UFO事件已经涉及到一个骗局，那么你必须赶紧把照片交给警察。"

听了碧吉的话，路克竟羞得满脸通红，他尴尬地摸了摸脑袋："我……我早上……把它们清除了，由于操作失误。"

帕特里克和碧吉不禁发出阵阵呻吟，还相互翻了翻白眼。

"你可真行啊，教授先生。"碧吉叹了口气，无奈地摇了摇头。

"我敢打赌，警察肯定会查出这是一件涉及到诈骗的犯罪案件。"路克为了减轻自己的愧疚感，不得不找个理由来安慰自己和朋友们。

"但是如果能有一个证据，警方破案就会容易多了。"帕特里克这样认为，"这个设置骗局、散布谣言的家伙肯定也是属于那个所谓的星际组织的成员。"

随着熙熙攘攘的旅游人潮，三只小虎终于离开了拥挤不堪的车站。

"我们必须步行回去，"路克不好意思地挠挠头，"海尔迦阿姨和马里乌斯姨父在家为我们收拾房间。"

火车站前面的广场上，突然多了许多售货亭和可移动的货摊，就像从地底下生长出来的一样。外星人手电筒、UFO 形状的胡椒蜂蜜饼等等，一夜之间，小镇上的一切似乎都与外星人扯上了关系。

突然，帕特里克一把抓住路克的手臂，说："嘿，你不是去过银河女士的房车曾经停靠过的那个地方吗?"

路克点点头。

"银河女士就是一条很重要的线索,路克,你怎么就疏忽了这么一个重要情况呢?"帕特里克朝碧吉撇了撇嘴,脸上露出不屑的神情。

路克顿时满脸通红。是啊,他怎么可以忘记这件事情呢?他甚至可以为此打自己的耳光,因为作为一名侦探却忽视了这么重要的线索,真是太不应该了。

"人们几乎不让我们的教授有几天单独思考的时间,他除了瞎折腾之外,什么也没做。"碧吉找到了路克的软肋,讥讽道。

路克朝她扮了一个鬼脸,但他更对自己的粗心感到生气。

就在这时候,路克感觉到有人一直在盯着自己,顺着那道目光,他看到了一张他并不认识的脸孔。可奇怪的是,他隐隐约约总觉得这张脸很熟悉,不知在哪儿见过。

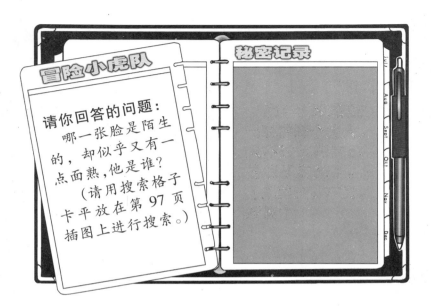

冒险小虎队

请你回答的问题：

哪一张脸是陌生的，却似乎又有一点面熟，他是谁？

（请用搜索格子卡平放在第 97 页插图上进行搜索。）

秘密记录

UFO——胡椒蜂蜜饼

97

长着 O 形腿的男人

继续往前走了几步之后,路克终于想起刚才看到的人是谁了。

路克猛地转过身子,想去追赶,却不料与紧挨在他身后的碧吉和帕特里克撞了个满怀。

"嘿,你这是怎么了?"对于路克的怪异举动,两人一脸茫然。

"那个来自美国的骗子……他刚刚从我们身旁经过,没有胡子,戴着帽子!"路克激动地说,他踮起脚尖,伸长脖子,试图在人群中找到那个男人。

"我看到他了!"路克手指着停车场的方向,大叫起来。

"那你还在等待什么?快跟上!"碧吉像

枝离弦的箭,一下子就冲了出去。

路克努力穿过那些迎面而来的人群,要在这么拥挤的人群中顺利抵达停车场,确实不是一件容易的事情。

停车场紧挨着火车站大楼。

那个男人似乎觉察到了什么,不断地向后张望。当他发现有三个少年正在跟踪他时,他马上低下头,把身子埋在人堆里。

路克被挤进了四个正大声聊天的肥胖的女人中间。

"小伙子,你挤来挤去干什么呀?"这四个女人站在一起,就像是一道篱笆,把路克堵在了停车场外面。

碧吉则幸运一些,她就像一只猫,轻巧灵活地穿过人群,顺利来到了停车场的入口处。此时,这个长着 O 形腿戴着帽子的男人,正蹒跚地走向一辆房车。

帕特里克也很快靠近了碧吉。

"他还在吗?"

"在那儿,他就坐在那辆房车里!"碧吉

轻声告诉队友。

帕特里克马上追了过去。

冷不丁地，那辆房车发动起来。随着马达的轰鸣声，汽车猛地向前冲去。

终于，满脸涨得通红的路克也跟跟跄跄地来到碧吉身边。

"这就是银河女士的房车！我认得它！"路克顾不上喘气，激动地大叫起来。

帕特里克张开双臂，想拦住这辆汽车。

但汽车竟然来了个180度大拐弯，朝相反的方向疾驰而去。

"真是倒霉透了！"碧吉懊恼地跺了跺脚，"没想到还有第二个出口。"

房车拐进了一条僻静的街道，这条街道沿着铁路路堤一直向前延伸。渐渐地，汽车从小虎队队员们的视野中消失了。

路克泄气地伸脚用力踢向旁边的一根混凝土桩子，霎时，钻心的疼痛让他抱着脚直哼哼，就像一只被踩着了尾巴的小狗。

"大家保持镇静，"碧吉安慰她的伙伴

们，"现在，小虎队的成员都到齐了，凭我们的力量，肯定能够解开这个谜。"

通往小旅馆的路还很长，三人并肩而行。帕特里克背着一只塞得满满的、几乎要被撑破的旅行背包；碧吉则提着一只巨大的红色旅行包，而路克不得不拿出一名绅士该有的风度，吃力地扛起碧吉的随身物品。

海尔迦阿姨激动地站在门口迎接他们，她又一次像一只刚刚下完蛋的母鸡似的，不停地拍动着"翅膀"："嘘……孩子们，请安静！"

"梅克先生很可能将成为新的部长人选，"海尔迦阿姨高兴得都快要跳起舞来了，"里面有一位女记者正在对他进行采访。"

"是你觉得在采访吧！"路克不得不纠正她的自以为是。

"你！不要这么多管闲事！"阿姨像赶小鸡似的驱赶他们快快离开，"你们都是来这儿学习的，现在马上回到你们的房间里去，

把书本打开!"

碧吉和帕特里克疑惑地看着路克:"这是怎么回事?"路克向他们眨眨眼睛,示意现在什么也别说。三个人只得挤眉弄眼地进了房间。海尔迦阿姨已经把两个充气垫放进了路克的房间,它们就成了路克和帕特里克的临时床铺。

"一个温文尔雅的绅士应该向小姐转让这张床。"阿姨这样教导路克。

"那么,我的小姐,如果你不嫌弃的话,

我的床就是你的了!"路克调皮地指了指自己的床,并且在碧吉面前做了一个邀请的手势。

这时,他们听见在走廊另一端的餐厅的门打开了。

"非常高兴与您的这次交谈。"一位女士的声音从走廊那头清晰地传了过来。三只小虎好奇地把头伸出去,他们看到一位年轻的、身材瘦小而且留着很短头发的女士。她穿着一件紧身的黑色连衣裙,并将一个文件夹紧紧地抱在胸前。

梅克先生跟在这位女士的身后,不停地喘着气,看上去似乎刚刚经历了一次十公里的长跑。当他看到路克也在走廊上时,不禁面色惊恐地轻轻推了那个女记者一把,以便能尽快离开这些讨厌的小鬼的视线。三只小虎蹑手蹑脚地沿着走廊走过去,继续观察这两个人的一举一动。

"这次采访的内容将在下周刊登。"女记者用舌头舔了舔自己的手指头,再用指尖抚摸了一下右边的眉毛。"目前在这个地区,我还找到了另外一个非常热门的故事。如果我的计划能够成功,那么……"

女记者突然中断了谈话,神秘兮兮地眨巴着眼睛。

"好的,那么……"梅克先生似乎对这位女士的话十分感兴趣。

女记者又一次用舌头舔湿手指,把眉毛抹平。突然,她似乎意识到这种举动太不合时宜了,便尴尬地在自己的裙子上擦了擦手指,然后微笑着把手递给梅克先生:

"那么,您可能会在报纸上同时看到那个精彩的故事和对您的采访报道。"

"谢谢!"梅克先生微笑着和女记者握手告别。那位女士哼唱着小曲离开了这幢房子。

梅克先生送走女记者后立刻变了脸色,他神情严肃地转向海尔迦阿姨,此刻阿姨正好奇地从厨房里探出头来。

"您的外甥似乎有窥探癖,"梅克先生言辞激烈地说,"您能让他安分守己些吗?"

海尔迦阿姨对着梅克先生连连弯腰鞠躬,不停地表达她的歉意:"您将不会再受到他的打扰了,梅克先生。"

路克向队友们发出撤退的信号,三只小虎立刻踮着脚尖快速地走回到自己的房间。碧吉坐到床上,帕特里克坐到地板上,而路克则一屁股坐上了写字台。

"现在完全清楚了,为什么梅克先生会对我表现得这么激动。"路克不停地摆弄着电脑线,就好像一切都在他的掌握之中。

"如果那些记者知道他的妻子正愚蠢地等待着被外星人接走的话,报纸上肯定会出现巨幅标题。到时候,他的部长梦可就完了,并且会成为所有选民的笑柄。"

"还有那个家伙,瞧他在车站逃跑的模样,仿佛刚从一匹烈马背上摔下来似的。"碧吉突然从床上跳了起来,滑稽地模仿着那个O形腿男人的走路姿势。

"我们应该做些什么呢?我们怎样才能重新发现那个家伙的蛛丝马迹呢?"路克对骗子溜走的事一直耿耿于怀。

碧吉仰躺在床上,喃喃自语:"现在倒是那个古怪的外星人坟墓更让我感兴趣。"

"这并不是个简单的案件,"路克沉思着,"但是小虎队肯定可以侦破它,唯一的障碍是我的阿姨和姨父,我们不能被他们囚困在房间里。"

忽然,帕特里克像触了电似的拼命舞动双手。

"你怎么了?你在做体操吗?"路克看着

同伴的滑稽样,忍不住笑了。

　　但是很快,他就笑不出来了。

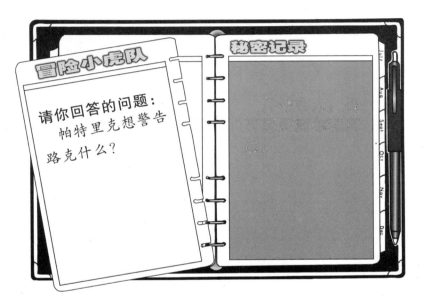

居尔森的老屋

路克一下子从写字台上跳了下来,甚至还皱起了眉头,哀声叹气。

碧吉用手支着脸,机械地用铅笔敲击着桌面。

帕特里克则对着一个写字本在冥思苦想,似乎正在进行精密的计算。

房门突然被用力地推开,海尔迦阿姨来检查他们的学习情况了。

"你们有没有在老老实实地学习啊?"这天下午,这种叽叽喳喳的声音特别让路克心情烦躁。

"是的,当然喽。"路克怪声怪气地学着阿姨的腔调。

"非常乖。"阿姨满意地点点头,关上门

走了。

　　整个下午，海尔迦阿姨总是不断地推门进来。她的忧虑太大了，因为这些顽皮的孩子很可能会让梅克先生心烦意乱。要知道，无论如何她都不允许他们去惹恼一个未来的部长。

　　"我在这里真是受够了，"路克就像一只时刻渴望自由的小鸟，他生气地把帕特里克的写字本和碧吉的铅笔抛向空中，"我要出去！"

　　"这样的话，等待我们的可能就是立即去买返程票了。"碧吉叹了口气，神情沮丧。

　　"不，不会这样的！我有办法！"路克兴奋地跳了起来，急匆匆地找出百宝箱，从里面摸出一个盒式录音机。他轻声低语地向同伴们谈了自己的计划，然后紧接着是半个小时的录音工作。

　　当海尔迦阿姨下一次来检查时，路克把一张椅子推到门把手的下面，死死地堵住了入口。阿姨生气地推着房门，要求路克马上把障碍物移去。

"亲爱的阿姨,请你不要经常来打扰我们,"路克懊恼地说,"否则,我们怎么能够聚精会神地学习呢?七点钟以前,我们都会在房间里非常用功地学习。"

这时,路克在装模作样地打字,而其他人则在轮流交替地计算和讨论。一些像是在讨论问题的喃喃低语声响了起来,接着他们又高声地念着一组数字,嗡嗡的读书声在整个房间里回荡。

"那好吧!但是,你们要继续这样好好地学习哦!"

海尔迦阿姨的脚步声才刚刚离开,三只小虎的身影也迅速从窗边消失了。而这将不会引起任何人的怀疑,因为阿姨随时都可以听见他们的读书声。原来,三个机灵鬼已经把学习中的喃喃低语声录到了磁带上,并且把录音机设置在长期运转档,现在,这盒磁带将不知疲倦地一直播放下去。

路克在离小旅馆最近的电话亭里给警

察局打了个电话,他并没有说出自己的名字,只是报告了一些他们已经发现的疑点,当然也包括那个美国来的大骗子,蓝头发的银河女士,以及那辆可疑的房车。

"走!我们现在就去寻找外星人的坟墓。"呼吸到自由的空气,路克立刻变得神采奕奕、精力充沛。

"你是怎样设想这件事情的?"帕特里克的眼睛望着路克,"虽然那本杂志的文章里说墓地就在布拉森施坦因附近。但是在没有确定方位之前,我们不能白白浪费精力,盲目地到处瞎找。"

帕特里克言之有理。

在他们离开房间之前，路克再一次查看了自己的电子信箱，但那个假教授就像从地球上消失了一样，没有传来任何消息。

"请等一会儿。"路克轻声说着，还高兴地打了个响指。他从包里拿出电脑，重新连上了因特网。很快，路克就调出了居尔森在UFO学者信息库中的个人记录。他用手指着其中的一行字："居尔森曾经就住在附近，瞧这里写着：埃根山谷。那里离这儿只有两公里远，这点距离我想我们可以步行去。"

"那好吧。"碧吉真希望现在能有一辆车，但这仅仅是希望罢了。

"没问题。"帕特里克是个出色的运动员，这点路对他来说只是小菜一碟。

三个人一个接一个地行走在公路上。现在已经是四点多了，最迟在两个小时之后，他们就必须赶回旅馆，要不然，海尔迦阿姨会看出问题的。

不久,在他们的前面,便出现了埃根山谷里的教堂钟楼,围绕着这个钟楼排列着无数的小房子。每一幢房子都有不同的颜色和建筑风格,整个埃根山看上去就像一个美丽的童话世界。

"居尔森的房子会在哪里呢?"碧吉疑惑地看着路克。

"嗯……我想房子不会主动告诉我们答案的,我们可以去向当地人问问。"

帕特里克突然想到了一种极其糟糕的可能性："天哪,这个居尔森十五年来一直长眠于地下,他的房子还会存在吗?"

"老土的悲观者。"路克对伙伴的奇怪想法一点也不以为然。他找到一位年轻的女士,礼貌地向她打听情况。

"我们必须穿过那条乡村公路,再往前走会有一条林阴道,从那里就可以通往居尔森的房子。"路克兴奋地带来了好消息。

"那么,那儿是否还有人居住呢?"帕特里克想知道得更多。

"居尔森的妻子在十年前已经去世了。从那以后,那幢屋子就开始荒芜,直至陈旧、腐烂。"

"那么,你到底想去那里做些什么呢?"碧吉从口袋里取出一块榛子巧克力,咬了一大口。

"去看看居尔森是否留下了一些线索。"路克说,"现在,他的房子是我们找到那个坟墓的唯一线索。"

帕特里克有些犹豫不决起来："那么如果……如果居尔森……作为……幽灵……因为他还在杂志里写过文章,并且还对你的 E-mail 作出了回复……"

碧吉"扑哧"一声笑了起来,她安抚性地把手放在同伴的肩膀上："安静,帕特里克!这个世界上并没有什么幽灵,我想可能是有人在冒用居尔森的名字。"

小虎队穿过弯弯曲曲的乡村公路上最为热闹、漂亮的路段。又走了几百米之后,他们终于发现了一条很容易被人忽略、杂草丛生的林阴小道。三个人小心地沿着林阴小道上两道深深的车辙行进。很明显,这些车辙是不久之前才被经过的汽车轮胎碾压而成的。

穿过一片小森林,出现在他们面前的是一道残破不堪的木质栅栏,栅栏上几乎没有一根木条是规规矩矩地垂直竖立的,其中许多木条都已经折断了。绿草遍地,灌木丛生,而栅栏的后面,则高高地矗立着一

幢灰色的房子，房子的屋顶上裂开了一些大洞，墙上面的一些砂浆也已经剥落了。

"这幢破旧不堪的房屋看起来似乎长满了斑点。"帕特里克轻声念叨着。

"那么，朋友们，我们就根据因特网上有关的提示来彻底搜查一下这幢房子吧！"路克努力想把话说得轻松一些。但事实上，一种奇怪的感觉逐渐弥漫了他的全身，但他却说不明白这究竟是一种什么样的感觉。

忽然，碧吉像生了根似的站在那里，她表情僵硬地提醒自己的队友："站住！这里有一些东西不能让我喜欢。"

"为什么？到底是什么东西呢？"原来就紧张不安的帕特里克甚至已经做好了随时撤退的准备。

"你们难道没有看见吗？"

男孩子们摇了摇头。

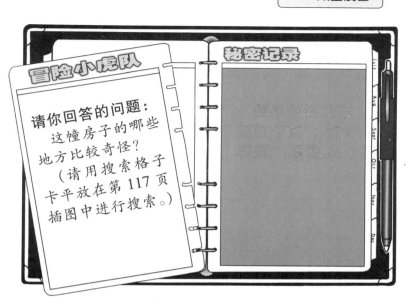

请你回答的问题：

这幢房子的哪些地方比较奇怪？

（请用搜索格子卡平放在第 117 页插图中进行搜索。）

流浪汉雅可布

"那么你看见了什么?"帕特里克困惑地把目光投向碧吉。

碧吉心情烦躁地朝他扮了一个鬼脸:"你难道就不能动动你的大脑?这就意味着,现在有人住在里面!"

"是希罗纽姆斯·居尔森的幽灵!"帕特里克脱口而出。

几乎同时,路克和碧吉向胆怯的帕特里克投去了轻蔑的目光。

"让我留在草丛里吧!"帕特里克受到了侮辱,白皙的脸庞一下子涨得通红。

"你说什么?我们应该给你留下什么?"路克以为自己听错了。

"请你们让我留在草丛里,"帕特里克

复述道,"这是我奶奶常说的一句格言,它的意思是:你们应该让我安静一会儿,如果你们对一切情况都了解得比我更好,并且都是非常聪明伶俐的话。"

"请你冷静一点,别让冲动坏了大事。"碧吉一边安慰帕特里克,一边向路克征求意见,"我们的行动还应该继续下去吗?"

路克点点头:"那当然了,否则我们费尽力气来这儿干什么呢?"

栅栏门因为常年风吹日晒,早已经无法打开了,但幸好它只有齐腰高,因此,他们可以不费吹灰之力就爬过去。三只小虎弯下腰,蹑手蹑脚地穿过高高的杂草丛,并且充分利用那些灌木丛的掩护,迂回穿插走近灰色屋子。

突然,路克悄悄用手指了指其中一扇窗户,那里有个黑影正躲在窗帘后边,朝屋子外窥探。

小虎队来到房屋的入口处,面前是一扇生锈的金属门。出乎他们的意料,这扇门

121

似乎在前一段时间里经常被人使用。

"你好!"路克大声地问候。

"你好!"一个声音从房子里面传了出来。

"哎……喂?"碧吉也试探性地喊了几声。

"哎……喂?"里面重复着这个声音。

"您能够出来吗?"路克壮着胆子,继续发问。

"还是你们进来吧,如果你们敢的话。"是一个男人的声音,这可以很清楚地从他的语调中听出来。

那个男人的提议让三个小侦探犹豫了一下。碧吉迅速把两个男孩子拉到高高的灌木丛后面。

"这儿肯定还有一扇后门。"碧吉压低嗓音,与同伴们商量对策,"这个家伙想让我们去推那扇门,但是,我们不应该上当受骗。帕特里克,你留在这儿!"

帕特里克坚决地摇了摇头:"不,为什么要我留下?"

"因为路克和我要去寻找另外一个入口。而你必须留在这里迷惑对方,让他以为我们三个人都还躲在这个灌木丛的后面。然后我们就可以吓唬一下那个家伙了。"

"那好吧……就这么办!"帕特里克这下倒答应得很干脆!

碧吉向帕特里克竖了竖拇指,便和路克一起蹑手蹑脚地离开了灌木丛。接着,帕特里克开始自言自语,他可真是个伟大的表演家,把朋友们的声音模仿得惟妙惟肖。

帕特里克从树叶的缝隙中观察着这幢房子。很好!那个陌生人仍然躲在窗帘后面监视着这个灌木丛。

果然,不一会儿,一声可怕的惊呼声从这幢房子里传了出来。

"天哪,你们到底想干什么!"帕特里克听到了一个男人惊慌的声音。

碧吉和路克在招呼帕特里克了。帕特里克飞快地沿着墙壁跑到屋子的后面,撞开了一扇虚掩着的狭窄木门。

这幢房子的里面比外面显得更加破败,地面上覆盖着一层厚厚的垃圾,每走一步都会发出"咔嚓咔嚓"的声音,真是阴森恐怖极了。

帕特里克看到他的朋友们正站在一个大房间里,相比较其他,只有这儿布置得比较适合人居住。他们站在一个衣衫褴褛的小个子男人面前,那个蓬头垢面的怪人正惊恐地缩在窗户旁边。

"怎么……你们是怎么进来的？"他的声音听起来就像是一只受惊的狗在狂吠。

"通过您也在使用的一个入口进来的。"碧吉两臂交叉在胸前，不紧不慢地说。

"人们难道再也不能找到一点只属于自己的宁静？"这个男人不停地抚摸着自己下巴上的胡子茬，可以听到一种类似于刮胡子的声音。他灰色的裤子和鼓起的夹克衫上到处都是磨破的洞眼。

"您是谁？"这是路克最想知道的。

"你把我看作什么了？一个火星人吗？"男人用他那双眯缝眼盯着路克。

"不，是一个流浪者，"碧吉平静地说出了这个家伙的真实身份，"一个在这里安家落户的流浪者。"

"那又怎么样？这难道打扰你们了吗？"这个流浪汉不动声色地反问他们，"那你们来这里想寻找些什么呢？"

"我们想……"帕特里克差点脱口而出。

路克向帕特里克使了个眼色，并且迅速打断了他的话："我们想……观察动物的习性，偶然发现这里竟然有人居住，这让我们很惊讶。"

"是吗？"流浪汉似乎并不相信他们的话，他眯起眼睛，并且把头转向一侧，"老雅可布不喜欢人们愚弄他。因为，他可能会因此而变得不快活。"

"我们曾经希望……能够在这里找到一些东西。"路克很快就承认了他们来这儿的目的。

"啊哈！"这个名叫雅可布的流浪汉满意地点了点头。路克心中的希望之火开始燃烧，这个男人似乎真的知道一些关于这幢房子的事情。

"您在这儿已经居住了很长一段时间吗？"碧吉试着从他口中套出更多的信息。

雅可布稍稍放松了一下心情，并努力地想抚平身上那件皱巴巴的衣服："已经有好几年了，但是仅仅在夏天。到了冬天，这儿对我来说太寒冷了，因为有穿堂风。"

"您知道，这幢房子过去曾经属于谁的吗？"碧吉继续追问。

雅可布露出了冷冷的笑容："很清楚，就是那个爱胡诌的人，他梦想着能像抓住蝴蝶一样抓住 UFO。"他用手指轻轻地点点自己的额头。

"这里是否还有一些他的东西？"路克环顾了一下四周。他们所在的这个房间里似乎只有一些从垃圾堆里捡来的被人丢弃的旧家具。

"除了这些，这幢房子里什么都没有。"

雅可布的回答真太令人失望了。

三只小虎你看看我，我看看你，谁也不能确定他讲的是真是假。

"你们如果愿意的话，可以去查看一下，"雅可布耸了耸肩膀，做了个请便的手势，"要知道，我几乎把这里所有的一切都翻了个遍。我认识住在这里的每一只老鼠，甚至还叫得出它们的名字。在很久以前，肯定已经有人把屋子里所有的东西都搬走了，就连厕所里的卷筒卫生纸支架也没剩下。"

帕特里克、路克和碧吉失望地叹了一口气。

路克犹豫了片刻，还是问了个似乎与案件毫不相关的问题："您一直过着流浪生活，居无定所，这难道不可怕吗？"

"可怕？"雅可布摆出一副不可思议的样子，似乎这是个极其愚蠢的问题。"不！我觉得很舒服，我对这儿的每一个地方都了如指掌。我流浪街头，并不是因为穷困潦倒，而是我喜欢这样的生活。"他咻咻地笑着，那怪模样不禁让人联想起德国民间传说中的小精灵。

帕特里克瞄了一眼腕上的手表，立刻紧张地提醒队友："我们必须回去了！"

路克暗示同伴们再等一会儿，因为他还有另外一些打算。在这幢房子里或许还能找到一些有关外星人坟墓的有益的提示，如果他足够幸运的话……

冒险小虎队

秘密记录

请你回答的问题：
路克想从哪里获得有关外星人坟墓的提示呢？

森林墓地

这是一个巨大的成功。

当路克把那张印有外星人墓地的照片指给雅可布看时,这个流浪汉马上点了点头,并且明确地表示:"我很了解这个墓地。"

"它在哪里?"碧吉问道。

雅可布严肃地看着她:"我虽然知道,但我不会向你们透露一字半句的。"

"为什么不呢?"

"因为……因为……你们必须先答应我,把自己的小嘴封住,不向任何人提起我住在这儿的事,不许出卖我。迄今为止,还没有其他人发现过我,我可不想让自己因此而郁郁寡欢!"

三只小虎不约而同地举起右手发誓:

"一定遵守诺言!"

"里姆巴赫森林墓地,"雅可布终于道出了最重要的信息,"就离这儿不远,那可是一个令人毛骨悚然的地方。它位于一座小山上,在这个墓地的中央长着一棵古老的橡树。"他突然压低嗓门,用一种极其阴森、恐怖的声音告诉他们:"从前,那儿有许多人被活活地绞死了。"

"绞死?"帕特里克使劲吞了口口水。

雅可布慢慢地点了点头,表情显得非常严肃:"这个消息对你们来说肯定非常有价值。"流浪汉终究是流浪汉,马上就显出了贪财的本色。

路克从包里翻出几枚硬币给了雅可布:"抱歉,我们没有更多的钱了。"

直觉告诉三只小虎,对于眼前的雅可布没有什么可以怀疑的。

当三只小虎脚步沉重地穿过屋前那片茂密的杂草地时,雅可布一直站在窗口目送他们离开。

雅可布满意地拍拍自己的裤袋，里面还有其他几枚硬币正在丁当作响。就在这些孩子们找到这儿的两个小时以前，另外还有一个男人也到过这里。那个男人说话时口音异常浓重，很可能是个美国人或者英国人。他也向雅可布出示了那张从杂志上剪下来的墓地照片，并且也因为同样的提问向这个流浪汉支付了几枚硬币作为报酬。

帕特里克是最后一个通过窗户爬进路克房里的。

房间外面有人在猛烈地摇动门把手。

"现在够了！在我们的房子里，绝不能容忍任何上锁的房间存在！"他们听到了马里乌斯姨父的声音。

路克镇定自若地把那张椅子移到一边。由于没有预先打招呼，门突然打开了，正在外面用力推门的马里乌斯姨父的身体一下子失去了平衡，险些跌倒在地上。

碧吉和路克紧咬着嘴唇，极力想忍住

放声大笑的欲望——这个瘦长而笨拙的姨父看起来简直滑稽透顶。

姨父面露愠色,两眼直勾勾地盯着眼前三个调皮捣蛋的家伙。

帕特里克突然像着了魔似的大声唱起歌来,虽然错误百出,可他还是不停地唱,不停地唱……以致路克很想将自己的耳朵捂起来。

"啦啦啦啦!"现在,碧吉也开始引吭高歌了。

姨父吃惊地打量着他们,他们似乎都

已经失去了理智。姨父会用大拇指指着碧吉和帕特里克，问路克："这些震耳欲聋的声音究竟是什么意思?请你给我解释一下!"

路克当然知道原因，但这是个秘密，绝不能告诉别人。

"停住!"姨父用力捂住耳朵，气得脸都发青了，"这简直叫人难以忍受。"

碧吉又在古板的姨父面前跳起舞来，她扭动着臀部，高举的手臂不停地在头顶上挥舞。

"我将把这里发生的一切统统告诉我的夫人。"马里乌斯姨父实在忍受不了刺耳的噪音，匆匆地离开了这个房间。

路克赶紧把门关上，开始做善后工作，都是因为他的疏忽才连累伙伴们挨了姨父的骂。

"我们中的一个人今天晚上必须到那个墓地去一趟，并且要在那里仔细地查看一下。"路克开始计划今晚的特别行动。

"为什么只去一个人呢?那另外两个人

干什么呢?"帕特里克对这样的计划很不认同。

路克自然还有更多的想法:"另外两个人得去引开我的阿姨和姨父,否则,他们肯定会像警犬一样,时刻地监视着我们。"

"那么,该谁去墓地呢?"帕特里克满心希望这个差事不会落到自己的头上。

"那好吧,此项任务恐怕非你莫属了。"路克偏偏用手指了指帕特里克,"我必须待在这里,而碧吉是一位小姑娘,同样也应该留下来。唯一能够神不知、鬼不觉地偷偷溜出去的,那就是你了。"

"我就知道会是这样!"帕特里克深深地叹了口气。

"你难道就没有兴趣在夜里孤身一人到墓地去走一趟?"碧吉问道。

帕特里克使劲地点点头:"是的。今天晚上,我本打算去发廊做个新发型的。"

"啊?"碧吉惊讶地看着他。

"说白了,我可不想一个人深更半夜的

去森林墓地瞎晃悠。"帕特里克气呼呼地说,"或者,这是你俩最喜欢的活动?"

"放心!我会为你准备好一切可能有用的东西的。"路克许诺,"同时,你还会在临走时得到这个无线电收发机。一旦发生了什么意外,我们马上就会出现在你身边。"

帕特里克闷闷不乐地望着天空喃喃自语:"在你们来到我的身边以前,外星人肯定早已把我带到另外一个星球去了!"他实在不喜欢在夜间到墓地去"郊游",尤其是单独前行。

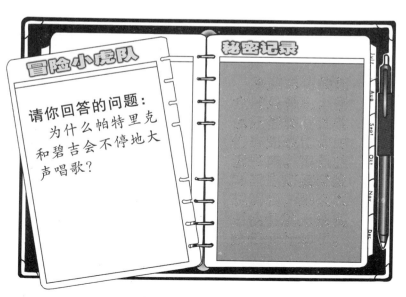

冒险小虎队

请你回答的问题:
为什么帕特里克和碧吉会不停地大声唱歌?

秘密记录

帕特里克的个人秀

每晚七点整,海尔迦阿姨和马里乌斯姨父都会准时吃晚饭。

"因为这两个人从来也不会在下午茶期间享用甜食,所以每到这时候他们肯定已经饥肠辘辘了。"路克笑着数落阿姨和姨父的古板,"因此我们还是明智一些,准时去就餐,否则他们整个晚上都会生我们的气。"

小虎队一起离开了房间。当他们还在通往餐厅的走廊上时,从二楼传来了梅克先生低沉而激动的声音。

"发疯了!你完全是发疯了!"梅克先生在大声地咆哮。

路克对帕特里克和碧吉说:"我敢打赌,他肯定已经知道为了获得会员资格,他的妻子竟然向那个所谓的星际组织支付了一笔巨额费用。"

"那些记者就像无孔不入的老鼠,总是躲在阴暗的角落里,以便发现我的每一个弱点!"梅克先生继续咒骂着他的妻子。他说得这么大声,即使是在楼下,小虎队也可以把他们的谈话内容听得清清楚楚。"如果他们听到了一些有关你的所作所为的话,我的威信就会一落千丈,这个部长的位置我也就只能拱手让人了。"

梅克夫人突然大哭起来,并且抽泣不止。

"我认为你对 UFO 的狂热其实就是一种病态,是一种愚蠢的行为,而不是其他什么东西!"她的丈夫简直就像头盛怒的狮子,"我真的不知道,我的妻子竟会比警察还要愚蠢。"

而此时,梅克夫人似乎除了哭还只是哭了。

碧吉深深地用力吸了一口气,生气地

说:"这个梅克先生怎么能这样对待自己的妻子,真是太粗暴了。"

楼上房间的门突然被打开,有人冲到走廊上,行色匆匆地下了楼。对于小虎队来说,要想不被人察觉地悄悄离开,已经为时太晚了。他们快速地围成一圈,装出一副正在讨论什么重要事情的样子。

梅克夫人看上去比平时干瘪了许多,凌乱的头发稀稀拉拉地耷拉下来,她的眼睛又红又肿,脸上挂满了泪痕。当她看见三只小虎时,不好意思地吸了吸鼻子,胡乱地

用手背擦拭着眼睛。

"晚上好,夫人!"碧吉满怀同情地注视着她。

"晚上好!"梅克夫人应了一声,就飞快地从他们身边侧身挤过,急匆匆地跑出了小旅馆。

这时,餐厅的门打开了,海尔迦阿姨挥舞着一只大汤勺走了出来。

"你们到底在哪里?"真没想到,即使在肚子饿的时候,阿姨仍然有这么大的嗓门。

路克翻了翻白眼,他完全能够想象出阿姨接下去会说的话:"现在已经是七点零一分了!孩子们,如果你们这么不准时的话,那么你们将永远一事无成。"

餐后甜点是讨人喜欢的冰淇淋——然而每人却只有一个小冰球。因为过量的话不利于健康,这是海尔迦阿姨的说法。

三只小虎相继坐回到桌子旁边,而帕特里克却开始打起了哈欠,他几乎碰都没碰冰淇淋,因为连连的哈欠使他不断地用

手去遮挡肆无忌惮的大嘴巴。

"是的,是的,这种清新的乡村空气确实让人犯困。"海尔迦阿姨又开始了滔滔不绝的赞美之辞。

碧吉吃惊地看着她:"啊,是这样吗?我怎么一点也不困。我还能干许多棘手的事情呢,譬如偷马。"

"偷?小姑娘,这可不是一个好女孩说的话。"海尔迦阿姨吓了一大跳。

帕特里克又打起了哈欠,看上去活像一头张大了嘴巴的大河马:"我必须马上上床去，明天见。"他站起来向其他人示意，然后步履蹒跚地走出了餐厅。"但愿我还能够支撑到走回房间睡觉。"路克和碧吉听到他在不停地喃喃自语。

像还没表演完似的，帕特里克再次把头伸进餐厅，一副有气无力的瞌睡样："一旦你们听到什么东西从楼梯上掉下来的话，那肯定就是我，到时劳驾你们把我拖进房间里。"

"我就说，他不去当演员真是太可惜了。"路克轻轻地对碧吉耳语了几句，又悄悄向帕特里克竖了竖大拇指。而碧吉却只是在偷偷地抿着嘴乐。帕特里克表演得如此栩栩如生，着实让路克的阿姨和姨父深信不疑。

"孩子们如果早一点上床，对身体健康是大有好处的。"马里乌斯姨父竖起一个食指，又开始了新一轮令人乏味的说教。

"当我父亲还是一个孩子的时候，他每天只睡五个小时。"碧吉一本正经地扯了个谎。

"那结果怎么样呢?"马里乌斯姨父期待着听到一个灾难性的消息。

"后来,他成了一名教授。"碧吉喜欢看到马里乌斯姨父那不知所措的表情。

帕特里克在睡袋里塞满了衣服,并且把它拍打成形,让它看起来就像是有个人睡在里面的样子。然后,他又一次检查了那只路克为自己准备好的工具包,看看是否装备齐全。包里装着无线电收发机,还有两只手电筒、一枚迷你信号火箭、两个爆竹、一把带锯齿和钻头的工具刀、一台老头牌声音模拟器、一架数码相机,以及一盏旧式闪光灯——这盏闪光灯并不是拍照用的,而是为了在必要的时候让人头晕目眩,失去战斗力。

帕特里克越过窗子爬到花园里,为了不暴露目标,他必须紧贴着房子的墙壁,并且以最快的速度到达那条位于房子右侧的过道上。

远处的草地上隐隐约约地传来了蟋蟀

"喔喔"的叫声,鸟儿们在树丛中欢叫,但声音似乎比白天略显疲惫。

帕特里克瞄了一眼手表,现在才八点差十分,而天色要到将近九点钟才会完全黑下来。

现在最重要的是安全离开这里!帕特里克不停地给自己打气。

此时,在帕特里克的肩膀上方有一扇窗户正好打开着,一个男人兴奋地招呼他的妻子:"娜塔丽,你赶快从浴室里出来,好好地欣赏一下阿尔卑斯山的晚霞。"

直到现在,帕特里克才发觉,在他面前的山坡上挂着一道美丽的粉红色的晚霞。但他现在可没时间欣赏风景了。

右边,就在那条沿着篱笆的街道上,马里乌斯姨父正迈着稳健的步伐走过来,他每天总习惯在晚饭后出去散步。

"我怎样做才能不被他发现呢?"帕特里克的脑子快速地思考着。

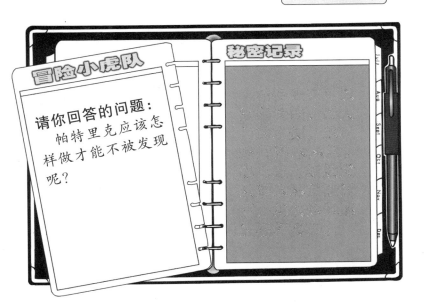

来自身后的危险

帕特里克终于可以松一口气了,因为他已经成功地躲过了马里乌斯姨父的眼睛,并且神不知、鬼不觉地抵达了那条林间小道。也就是几天前的晚上,路克曾经走过的那条羊肠小道。

小道狭窄而曲折,沿着山坡蜿蜒而下,一直通到布拉森施坦因村庄的边缘。帕特里克一路小跑,却一点也不感到气喘,因为他是一位耐力极强的长跑运动员。

一块指路牌赫然出现在他的面前:相邻的村庄里姆巴赫距此约五公里。

通往里姆巴赫的这条公路并没有给帕特里克带来多少麻烦,帕特里克步履轻盈地朝前奔跑着。

　　傍晚时分，橙色的阳光逐渐变成了深蓝色，帕特里克始终保持着均匀的速度在公路上奔跑。路边森林中的冷杉树高大挺拔、直刺云霄，就像沉睡着的巨人，而这些巨人似乎每时每刻都会被惊醒，并且伴随他一起完成这次艰难的旅程。

　　突然，一辆汽车从后面疾驰而来，当汽车的大灯照到帕特里克身上时，那个司机竟愤怒地向他挥了挥拳头，并且不停地按着喇叭。由于受到了惊吓，帕特里克不小心一脚踏空，身体失去了平衡，跌跌撞撞地冲进了路边的壕沟里。

　　荆棘挂住了帕特里克的衣服，并且透过衣服深深地刺痛了他的皮肤。当帕特里克重新站立起来时，荆棘的刺钩在他的运动服上，已经撕开了一个大口子。

　　帕特里克发出轻轻的呻吟，他心痛极了，因为这件运动服还是第一次穿上的。

　　他拍掉衣上的脏东西，继续跑步上路。

　　不一会儿，远处又出现了两盏汽车前

灯,并且在快速地向他接近。

　　又是刺耳的喇叭声和耀眼的灯光。当这辆汽车从他身边驶过时,帕特里克看见驾驶室里坐着一位女士,她用手对他做了一个手势。但帕特里克一头雾水,不明白这是什么意思。

　　到底是怎么了? 难道有人想从他这儿得到些什么?还是前方存在着危险?又或者是有人在跟踪他?帕特里克一脸的茫然。

　　帕特里克突然转过身子,出神地凝视着身后的黑暗。他的心在剧烈地跳动,在寂静的夜晚,"扑通扑通"的心跳声格外清晰。

冒险小虎队

请你回答的问题:
　　到底发生了什么事情呢?

秘密记录

墓地探险

第三位汽车驾驶员终于将车子停了下来,并且摇下车窗,当他与帕特里克打招呼时,这个小虎队队员的心几乎都要从嗓子眼里跳出来了。难道危险这么快就来了?

然而,当帕特里克听明白那个男人所说的话后,他立刻羞红了脸,要是碧吉和路克在的话,不知道会怎样嘲笑他。怎么能够忘记如此简单的事情呢?他尴尬地向对方表示了感谢,马上折向公路的左边,继续向前奔跑。

当帕特里克到达里姆巴赫时,弯弯的月亮高挂在圆锥形山峰上,深蓝色的夜空中,隐隐约约有许多星星在闪烁。多美的景色啊!在大城市里可难得看见这样的景致。

但是，那个森林墓地到底会在哪儿呢？

这个时候，在里姆巴赫地区的公路上，几乎见不到一个行人，只有两辆摩托车从他旁边疾驰而过。

"我最好还是不要去问路。"帕特里克可不想冒险。到时候每一个人都会感到惊奇，到底是什么东西如此吸引一个少年，竟会使他三更半夜去墓地里乱转。

现在，就只能试试自己的运气了。帕特里克像只无头苍蝇似的在这条乡村公路上跑着，好不容易，他终于发现了一块画着里姆巴赫及其周边地区方位的指示牌。森林墓地被画得非常小，一般不太会引起旅游者的注意。墓地位于城郊，而且就像它的名字所描述的那样，墓地就位于一片森林的边缘地带。

帕特里克像一只刚刚起床的猫，伸了伸懒腰，又重新跑了起来。

可是越接近那个墓地，帕特里克的步子就迈得越慢。他感觉非常吃力，两条腿像灌了铅似的,步子越来越沉重,他隐隐约约地觉得有许多双看不见的手在不断地拉扯着他。而这些手似乎正在向他发出警告。

"我有勇气,我可以完成这一切。"帕特里克调整了脚步的节奏,暗暗地给自己打气。

通往森林墓地的道路又长又窄,几乎连一辆车都很难通过。这条路只比用土坯砌起来的水渠略微宽敞一些,地面上到处都长着郁郁葱葱的蕨类植物和青草。帕特里克在齐膝深的草丛里艰难地往前移着步子,每走一步他的鞋底下总会发出植物茎叶被踩烂的"咔嚓"声、"吧嗒"声和"哗哗"的溅水声。这让帕特里克浑身上下都鼓起了鸡皮疙瘩。

在皎洁的月光下,那座森林墓地终于出现在他的面前。墓地被一圈低矮的金属栅栏所包围,但其中的一部分栅栏已经倒塌了。帕特里克暂时停下脚步,努力让自己的呼吸平静下来。

在这个古老墓地的周围,万籁俱寂,阴森和恐怖的气氛始终笼罩着这里的一草一木。似乎唯一可以听见的,只有他自己的心跳声和喘息声。

恐惧让帕特里克紧紧地抓住栅栏的两根柱子,但是,这些柱子早就已经腐烂生锈了,以致于他的手上粘满了金属碎片:"真倒霉!"帕特里克像触电似的从栅栏边跳开去,并不停地拍打着手上的铁锈粉末。过了好一会儿,他才平静下来,睁大双眼慢慢地在墓地上空"扫描",原来,这个墓地就坐落在一座平缓的小山丘的圆形山顶上。

墓地应该荒废很久了,有许多东西都已经无法辨认了。低矮的墓碑不时地从杂草丛中冒出来,但几乎没有一块墓碑是好好直立着的,有几块甚至已经断了半截,这让帕特里克想起了断裂的牙齿。

在那片用栅栏围起来的墓地里,耸立着一棵高大的橡树,树身上长满了疤结,粗壮的枝桠向外伸展——也许这就是流浪汉

所说的那棵绞刑架之树。

然而,外星人的坟墓会在哪儿呢?这里并没有给人一种荒坟遍地的感觉,如果真有传说中的那座神秘的坟墓,应该很容易找到啊?

突然,帕特里克注意到一些事情,这令他惊讶不已:这些草似乎在不久前曾经被人修剪过，那么是否有人在照料着这块古老的墓地呢？

我是否应该再冒一次险呢？帕特里克心里正进行着激烈的斗争。最后他还是决定按计划进行——去寻找那座神秘的外星人的坟墓。

向右继续走了几步，那里的栅栏已经完全倒塌，并深深地陷入泥土里，只有栅栏的上端还稍稍露出地面。帕特里克就从一个缺口毫不费力地进入了墓地。他深一脚、浅一脚地慢慢向墓地的中心区域靠拢。

帕特里克全身的每一个细胞都进入了备战状态，他把头缩在衣领里，双手紧攥成拳头。一旦有人从隐蔽的墓碑后面跳出来袭击他的话，他就能在最短的时间里作出反应，不会因为意外而遭遇不测了。

每走几步，帕特里克就停下来，小心地向四周张望。

有可疑的东西靠近吗？

有异常的声音响起吗？

有人来了吗？

有人在暗中埋伏吗？

距离那棵绞刑架橡树只有一步之遥了。突然，帕特里克似乎从眼睛的余光里发现了什么，他一个侧身，迅速躲到一块有棱角的墓碑后面。这块墓碑倾斜得比比萨斜塔还要厉害。

帕特里克的额头上冒出了冷汗，全身在颤抖。他用双手紧紧地抓住布满青苔的墓碑两侧，并且沿着这块墓碑的上部边缘，小心地朝他曾经发现过情况的方向张望。

帕特里克并没有看走眼，前方墓碑中确实站起了一个人，并且在不断地晃动，若隐若现，虚无缥缈。帕特里克无法看清楚那个人的面貌，只能依稀地辨认出那人有一个细长的身子和一个小小的脑袋，两只三角形的耳朵突兀地安在脑袋两边。这个人步履轻盈、蹑手蹑脚地在墓碑之间来回穿梭，俨然像一只正在追逐老鼠的大猫。

他怎么会从一座坟墓里冒出来呢？

　　帕特里克突然想起了狼形人妖,这种狼人噬血成性,尤其喜欢喝人血。

　　突然,这个狼人张开双臂,倏地消失在墓碑后面的阴影里了。

　　墓地里诡异的气氛像一块巨大的石头压在帕特里克身上,让他几乎无法呼吸。

在帕特里克身子靠着的那块墓碑与旁边的墓碑之间，月光投射出一截明亮地段。帕特里克偶然发现前面有一块深色黏土暴露在亮光底下，就像是黑暗中的一只眼睛，正目不转睛地凝视着自己。

但是，在这块黏土上却留下了一个印痕，是一个爪子印，还是一只脚印……难道是外星人留下的印迹？

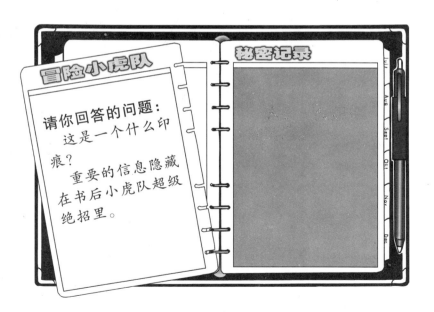

冒险小虎队

请你回答的问题：
这是一个什么印痕？
重要的信息隐藏在书后小虎队超级绝招里。

秘密记录

奇异的墓碑

帕特里克的心还在不停地快速跳动。

好在他已经辨认出黏土中的那个印痕，这让他不安的心稍稍平静下来。然而，从坟墓中冒出来的那个黑色人影却已经消失得无影无踪了。

为了不暴露自己，帕特里克一动不动地在墓碑后面又躲了几分钟，这几分钟对他来说就像几年一样漫长。

仍然是那种令人毛骨悚然的宁静，这种死一般的寂静让帕特里克非常害怕。他用手隔着袋子摸了摸身上挎包中的那台无线电收发机，此时此刻他多么希望能与碧吉和路克说说话啊。然而他却不能这样做，在静谧的墓地里，每一点细微的声音听起来都是那么清脆响亮。

这时,从帕特里克经过的那条公路上传来了汽车的轰鸣声,它渐渐地靠近了墓地,并且速度越来越慢,终于停了下来。发动机的引擎熄灭了,一扇车门被打开了,紧接着又被使劲地关上了。

帕特里克压低身子,屏住呼吸,静静地等待着。

四周万籁俱寂,既没有草叶摩擦所产生的窸窣声,也没有任何脚步声。但是,为什么会有汽车停在那里?车里的人又去哪儿了呢?

"也许,有人就居住在附近。"帕特里克努力让自己安静下来,并且告诫自己,"还是赶紧去寻找外星人的坟墓吧!否则,跑这么长的路来这里干什么呢?"

慢慢地,慢慢地,就像是表演慢动作一样,帕特里克一点一点地从墓碑后面抬起身子。他浑身上下每一块肌肉都在隐隐作痛,僵硬麻木的四肢已经不听使唤了。他扶着墓碑静静地站立了一会儿,直到确定四周一切正常,没有丝毫动静之后,他的心才慢慢平静下来。

墓地里静得出奇,似乎除了他以外,连只蟋蟀都没有。

帕特里克轻轻地离开了自己的藏身地,一拐一拐地向前走去。

突然,远处传来了脚步声。一根干枯的树枝被踩断了,"咔嚓"一声脆响,听起来似乎比发令枪的声音还要响亮。

帕特里克立刻停住脚步,一动也不敢动地立在原地。

周围仍然一片寂静,似乎没有人听到这个响声:"在这样的荒郊野外,确实也不应该有什么特别的事情。刚才可能只是一只动物在夜间活动时所发出的声音。"帕特里克不断地安慰自己。

再往前走,帕特里克的运动鞋突然陷入了一片软泥潭,他吃了一惊,用力地把脚抽了回来,跌跌撞撞地赶紧向右边挪了几步,因为右边的泥土看上去似乎坚实些。

一步,两步,三步。

帕特里克弯曲着身子,轻巧地从一块墓碑后面转移到另一块墓碑后面;从一个隐蔽处躲到另一个隐蔽处,明亮的月光就像是为夜行的他点亮的一盏灯。

帕特里克用手指摸索到其中一块墓碑上几乎要风化殆尽的碑文——"1732 年"。这个遥远年代的痕迹从他的指尖滑过。

"无论如何,我都不需要在几块死人骨头面前惶恐不安。"帕特里克暗暗给自己鼓劲。

这也让他增添了几分勇气。

当帕特里克随意踏上离脚边最近的一块墓碑后面的青草地时,他刚刚鼓起来的一点勇气立刻消失得无影无踪了。他倒吸一口冷气,踉跄着后退了几步,似乎撞到了一堵看不见的墙上。

真是令人难以置信!太不可思议了!

眼前的一切令帕特里克惊愕了。

地面上有一个闪烁着蓝色光芒的墓穴盖子,它的表面非常粗糙,并且发出幽幽的蓝光,看起来似乎湿漉漉的,虽然旁边这些青草都非常干燥。

在这块奇异的碑石上,雕刻着一个外星人的肖像。这个外星人的脑袋看起来就像一个倒三角形,被安装在细长的身体顶端。他的眼睛倾斜地耷拉着,足足有半个脑袋那么大。围绕在他身体周围的,是由线条和象征符号所组成的奇异图案。帕特里克目瞪口呆,他无法解释这一切。

一片云彩悄悄地遮住了月亮的脸,四周一片黑暗。就像是一块黑色的面纱,霎时笼罩在这块墓地上。帕特里克颤抖着双手,好不容易才从包里掏出了随身携带的手电

筒。在手电筒昏暗的光晕下，这个墓穴盖子竟散发出更加湛蓝的光芒。

这个墓穴盖子真的是石头做成的吗？这种材料看起来似乎更像是粗糙的、尚未打磨的水晶，它晶莹剔透，比宝石更加夺目。帕特里克以前从未听说过有如此巨大的水晶，大到可以用来制作一个巨大的坟墓盖子。要知道这个盖子甚至比一张双人床还要大。

为什么从来没有人发现过这个坟墓呢？难道就没有人来过这里？难道所有的人都忌讳来这里吗？各种奇怪的想法纷纷涌入帕特里克的脑袋里。

恐惧让帕特里克忘记了所有的小心谨慎，他一把掏出无线电收发机，按下联络键。

"小虎3号呼叫小虎1号和2号！"他轻轻地对着收发机的麦克风呼叫，"回答，请回答。"

机子发出了"咔嚓咔嚓"的声响，很快，路克的声音从喇叭里"咯咯"地传了出来。

帕特里克马上把它旋到更轻的音量上。

"你有没有找到些什么东西?"路克关切地询问着事情的进展。

"我现在就站在这个坟墓的面前!"帕特里克自豪地向伙伴们报告了自己的重大发现。

"太棒了!你干得不错!"

"你们也应该过来瞧瞧。"帕特里克太想念他的队友了,特别是在这样一个不同寻常的夜晚,"也许这样奇特的坟墓并不是总能看见的。"

路克似乎仍在犹豫,有好几秒钟双方都一直保持着沉默。但是,帕特里克的愿望终于实现了,路克给他带来了好消息:"我已经与碧吉商量过了。我们马上过来,请你耐心地等着我们。通话完毕!"

通话结束后,帕特里克重新把无线电收发机装入包里。

"马上?"帕特里克叹了一口气,等他们来,也许至少还需要一个小时。当然,如果

他们能够妥善地安排好自己的交通工具的话，没准会更快一些。

月亮重新从云层的后面露出脸来，黑色的帷幕渐渐消退，四周又亮堂起来。帕特里克坐在一块低矮的墓碑上，等待着他的朋友们。

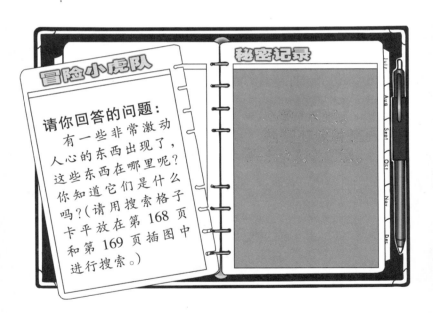

冒险小虎队

请你回答的问题：

有一些非常激动人心的东西出现了，这些东西在哪里呢？你知道它们是什么吗？(请用搜索格子卡平放在第 168 页和第 169 页插图中进行搜索。)

秘密记录

外星人的棺材

帕特里克的身边好像有什么东西在"嚓嚓"作响,他大吃一惊,猛地跳了起来,并且向后退了一大步。

看着眼前的奇景,帕特里克的眼睛越睁越大,几乎要挣脱出眼眶掉下来。那个外星人的坟墓正发生着惊人的变化:坟墓的盖子一分为二,正一毫米、一毫米地缓缓向上升起,就像是一扇门正在慢慢地向上打开。

从坟墓里射出一束乳白色的光线。光线在不断地闪烁,就像有几百面微小的镜子不停地在阳光底下晃动。

坟墓盖子的两边都各打开了一半,形成了一条宽宽的缝隙。帕特里克伸长脖子,好奇地想通过这条缝隙看看坟墓里究竟有些什么。

　　但是，他根本什么也看不清，因为这束光线太刺眼了，足以让人眼花缭乱。遗憾的是，路克并没有为他准备太阳镜。没有人会想到在漆黑的夜晚也有需要太阳镜的时候。

　　帕特里克自然而然地把手挡在眼睛前面，以遮蔽刺眼的光线。他的眼睛半开半闭着，利用眼睫毛这道"天然屏障"来抵御强烈的光线。

　　帕特里克通过指尖的缝隙看见，在距离他现在站立的地方大约两米，也许是三米远的坟墓里，矗立着一个用特殊反光材料制成的长箱子，箱子的表面较为粗糙，好像是由大大小小许多发光器件组成的。

　　当帕特里克的眼睛能够适应这种耀眼的光线之后，他便能够看清楚更多的东西了：这个箱子看起来并没有笔直尖锐的棱角，呈弧形。这与坟墓盖子上外星人的形状竟有着惊人的相似。

接下去的发现让帕特里克倒吸一口冷气，双腿不由自主地后移了好几步。

就在帕特里克的正前方，从坟墓的边缘一直向下延伸到墓穴里面的，是一条非常陡峭的阶梯，它的每个台阶的跨度都很大，几乎是垂直地立在那儿。

这是唯一的一次机会，可以下到坟墓里面去。但是他真的应该这样做吗？里面又会有怎样的危险在等着他呢？

"为什么迄今为止都没有人发现过这个坟墓？"帕特里克不断地问自己。这几乎是不可想象的，在过去的二十年中，这样一块显眼的蓝色坟墓盖子竟然没有被任何人发现过！

这可能吗？正当帕特里克犹豫不决的时候，他的目光偶然地落到了一些东西上。"这是一种可能的解释。"他弯下身子，仔细查看着他刚刚发现的重要线索。

"我明白了。"帕特里克终于给自己的疑问找到了答案。

帕特里克还在不停地作思想斗争。现在,他究竟该怎么做呢?如果他不爬进这座坟墓的话,大概他永远也不会原谅自己的过失。这是唯一的机会了,也许这座坟墓的盖子马上就会重新关闭起来,甚至会消失,也许……

帕特里克深深地吸了一口气,按了按自己身上挂着的工具包,坚定地踏上了通往墓穴深处的陡峭阶梯。

这确实是在冒险,帕特里克随时可能从这些高高的台阶上滑落,或者失足坠落下去。他用左手紧紧地抵在冰冷的石墙上,竭力保持住身体的平衡。

墓穴里迎面涌来一股刺鼻的气味,这让人联想起金属和电的气息。其实,这种气息就是在电流影响之下而产生的,并且不断地发出"噼噼啪啪"的声响。帕特里克的鬈发通常总是非常蓬松和零乱,但现在,它们却根根直立,仿佛是根根铁丝被一块巨大的磁铁吸引着。

当帕特里克抬起头向身后张望时，不禁吓出了一身冷汗。此时，上方的洞口离他似乎已经有几公里那么遥远。通过坟墓盖子上的那条裂缝，他只看见了一小部分星空，而月亮似乎早就害怕地躲了起来。

当帕特里克跨过最后一级台阶，踏上坚硬的土地之后，他马上拿出随身携带的手电筒，不停地在这个充满神秘气息的墓穴里照来照去。这是一个地下墓室，大约六平方米大小。在墓室中间的一个小平台上，安放着那个外星人的金属棺材，这个棺材的盖子是用地地道道的闪光发亮的水晶和锃亮的金属块做成的。但出乎帕特里克意料的是，这座墓室似乎并不是由棺材的盖子所照亮的。

难道这下面真的是冰冷刺骨？帕特里克起初只是觉得身子冷不丁地打了个寒战，到后来竟然全身都开始剧烈地颤抖起来。

帕特里克哆哆嗦嗦地从包里翻出照相

机,快速地拍摄了几张照片,然后可怕的事情发生了……

随着一声沉闷的响声,坟墓的盖子在帕特里克的头顶上合拢了,同时,墓穴里的所有灯光突然都熄灭了。这种令人窒息的黑暗就像是一个深黑色的拳头,重重地击打在帕特里克的身上。

仿佛置身在另一个世界,帕特里克被突如其来的状况弄懵了。

帕特里克马上有了一种生理反应,他呼吸不到新鲜空气了:"不,请不要这样!"帕特里克绝望地叫了起来。

这时,从棺材的另一侧射来一束冷光,隐隐约约、若明若暗的光线就像一根丝线那样若有若无。

帕特里克的眼睛由于恐惧而睁得很大很大。

接下去会发生什么可怕的事情呢?

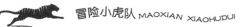

秘密记录

请你回答的问题：
　这座坟墓为什么这么久都没有被人发现呢？

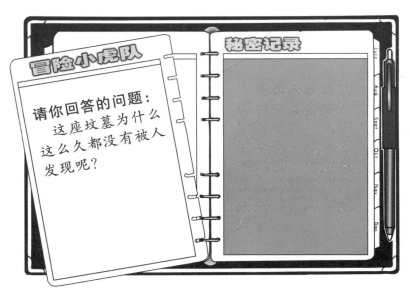

神秘的黑影

路克和碧吉偷偷地窃取了梅克夫妇的自行车,以最快的速度赶往目的地。对这座外星人坟墓的强烈的好奇心,使得他们有使不完的劲。

和帕特里克一样,他们沿着那条狭窄的小道,离开了公路。然而,在通往墓地的丘陵地带,他们意外地发现有一辆深灰色的汽车停在那里。路克跳下自行车,拿着手电筒,通过驾驶室的窗子不停地朝车里张望。

这辆汽车的内部设计非常新颖,但是车子的外表却没有给人耳目一新的感觉。

碧吉来到路克身边,同样好奇地向车内张望着。

"我妈妈一直都希望自己能拥有一辆这么干净的汽车。这辆汽车会是谁的呢?又怎么会停在这儿?"路克的心中充满了疑问。

碧吉同样茫然地耸了耸肩膀。

"这条道路应该是通往那块墓地的,"路克摸摸下巴,试着整理出一个头绪来,"那么这个司机很可能就在附近,也许就在那个外星人的墓地。"

"看来,我们要非常小心才行!"碧吉提醒他。

两个小虎队队员把他们的自行车隐藏在一片灌木丛的后面,然后沿着这条路一直朝前走。而在一个小时以前,他们的朋友帕特里克也曾经从这条路上经过。

当那块古老、荒芜的墓地和那个破败的栅栏横亘在他们面前时,和帕特里克一样,他们也在那儿停了下来。但是,在刚才的联络中,帕特里克并没有对他们说明那座外星人坟墓的精确位置。他们尝试了好多次，想通过无线电与帕特里克取得联系，但都以失败而告终："他肯定是由于疏忽而关闭了无线电，因为始终没有任何信号。"路克懊丧地将无线电收发机扔回包里。

没办法，路克和碧吉只好沿着栅栏蹑手蹑脚地搜寻过去。他们抵达了一个地方，就是那个部分栅栏已经完全倒塌并深深地陷入泥土里，唯独它的上端还稍稍露出地面的地方。

但是路克和碧吉没有朝着帕特里克所处的方向前进，而是朝着完全相反的方向走去了。更糟糕的是，他们全然不知自己已经离那座坟墓越来越远了。他们走进了一块潮湿、泥泞的软土地里。

"哦，真该死！"碧吉不停地甩着鞋子，尝试着从那泥泞的湿地中摆脱出来。

"你冷静一点，这并不是什么特别的黏液。"路克不以为然地耸了耸肩膀。

在这里，四周的土地都非常柔软、泥泞。

为了不让自己陷入难以自拔的泥潭里,路克用手电筒非常仔细地照着身前的每一寸土地。

"嗨!你看!"碧吉发现了一些路克不曾注意到的细节:泥地里有一双纤细、狭长,并且是平跟的鞋子的痕迹。

"我也有这样的鞋子,穿着它会显得非常优雅。"谈到打扮,女孩子似乎都会十分兴奋,而碧吉也不例外。

路克用手指检验着这些足迹。它们不太规则,而且相互之间的距离也隔得很远,看上去并没有朝着同一个方向前进。

"看起来好像是有人在这里步履蹒跚地兜着圈子。"路克喃喃自语道。

碧吉走得更近一些,对其中的一个印痕进行了仔细的观察,然后她在路克的旁边蹲了下来,认真地比较这两个鞋印之间的区别。

"这是一个女人的鞋印,尺码大约与你的相同。"路克肯定地说。

"但是,她的体重肯定超过我。"碧吉微笑着补充,因为比起自己的鞋印,这种印痕更加深陷进泥土里。

"嘘!"突然,路克把食指放在嘴唇上,警告碧吉别说话,并迅速关闭了手电筒。

附近的森林中出现了一个光点,光点在不断地来来回回地晃动着,越来越靠近墓地。

"那儿有人……拿着一只手电筒。"路克小声地告诉碧吉。

"会是谁呀?"碧吉轻轻地问。

"我的脑袋里又没有装夜视仪,我怎么会知道?"路克撇撇嘴,碧吉的问题在路克听起来真是愚蠢极了。

在墓碑之间的空地上出现了一个苗条的身影,那不断扭动的身躯不禁让碧吉和路克联想到一种动物——蛇。那人灵活多变地移动着,并且身体总是微微地向前倾斜,看起来似乎正在寻找什么东西。

这时,从墓地的另一侧传来一声类似

砍木头时所发出的"咔咔"的声响。那人的脚突然就像装了弹簧一样,"腾"的一下就跳到了一块墓碑的后面,正好处在碧吉和路克的视线观察范围之内。

那人神经质地把一根手指放进嘴里,然后又用这根沾着唾液的手指不停地抚弄自己的眉毛。

两只小虎朝声音传来的方向望去。

"那儿是不是有些什么……或者?"碧吉的嘴巴几乎贴上了路克的耳朵,以便自己的声音只有他能够听见。

"我不知道!"路克用同样轻的声音回应碧吉。

那人似乎也在等待着,当发现没有任何异常情况后,她从墓碑后面跳了出来,并且在墓地之间快速地来回穿梭,似乎在进行一场障碍滑雪比赛。

但意想不到的是,那人竟然直接朝碧吉和路克藏身的地方走过来。

两只小虎的心跳骤然加速,他们现在

只好一动不动地蹲在及膝深的草丛里。这里既没有灌木丛,也没有任何墓碑能够给他们提供掩护,一旦这个人重新打开手电筒,那么路克和碧吉将会暴露无遗。

那人在离他们不远的地方停了下来。她弯下身子,接着,一束光线突然亮了起来。幸好,手电筒的光是对准地面的,这个人就在那儿不停地忙活,似乎正在把一些沉重的东西拉到一个凸起的地方去。

是一个带有金属环的盖子。那儿好像有个地洞。

那人先是手臂还暴露在外面，然后慢慢地从地面上消失了。只听见"砰"的一声，盖子重新合上了。

碧吉突然跳了起来，迅速来到那个洞口旁边。碧吉的速度非常快，以致于路克根本来不及阻止她的鲁莽行动。洞口紧紧地合上了，碧吉激动地指着洞口四周那些刚刚留下的鞋印。

"这些鞋印与刚才见到的完全相同！"

随后跟来的路克也认同碧吉的看法："但是，这些鞋印显然要比我们刚才看到的浅得多。"他不停地摸着下巴颏，陷入沉思中。

突然，路克轻轻地打了个响指。

"你想到了什么？"碧吉对路克的这个习惯动作很熟悉。

路克带着一种深奥莫测的神情点了点头。

冒险小虎队 MAOXIAN XIAOHUDUI

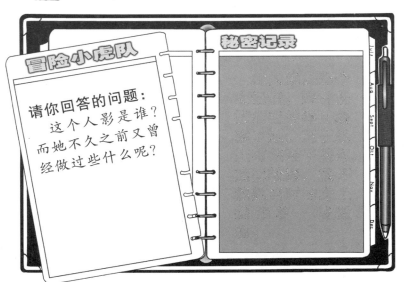

请你回答的问题：
这个人影是谁？
而她不久之前又曾
经做过些什么呢？

灰色间谍现身

路克弯下身子,抓住了那个金属环,尝试着把那块石头向上翻起来,但没有成功。

"真像座大山似的沉重,"路克不停地揉着酸痛的手臂,"我真想知道,那个女人是怎样干的。"

突然,碧吉激动地拉扯着路克的套头毛线衫,用颤抖的声音低唤:"路克,快看!"

路克直起身子,顺着碧吉手指的方向,向森林墓地的某一个角落望去。

霎时,路克惊呆了,就像一座雕像被死死地钉在地上一动不动。他的脑海中突然冒出一篇报道——《游移在墓地中的黑色人影》。

一共有七个人,很可能都是男性。他们

身穿高领灰色西装,外套长衫,表情呆滞地注视着前方。这七个人都戴着一副八角形的太阳镜和一顶灰色的、半球形的头盔。他们一字儿排开,整齐地扭动着大腿跨过破败的栅栏,朝着某一个确定的方向移动。

他们将去何方?

突然,他们中的一个人停了下来,七个黑影撞成一团。由于他们戴着太阳镜,并且脸上毫无表情,两只小虎无法看出他们的内心到底是惊讶、恐惧,还是喜悦。

碧吉和路克发呆似的一直站在那儿,直愣愣地注视着传说中的这七个间谍。

"那么……那么他们是确实存在的了。"路克充满敬畏地喃喃自语起来,"这倒是我从来也没有想到过的。"

"他们是谁?"碧吉的声音非常的轻,以致路克几乎都听不到她在说些什么。

"七个秘密间谍,他们调查地球上所有的奇闻轶事……"路克逐字逐句地引用了那本 UFO 杂志上的原话。

"不!这不可能!"碧吉根本不相信路克所说的,这听上去简直太荒谬了。

此时,路克却对杂志的报道深信不疑:"肯定是的,在书里他们就是这个样子。"

冷不丁地,其中一个间谍突然扭转头,直直地朝路克和碧吉看过来。一束耀眼的光芒亮了起来,直接照射到他们的脸上。一时间,两只小虎只觉得眼花缭乱,只好赶紧闭上眼睛,本能地高高举起双手捂住了脸。

窸窸窣窣的脚步声离他们越来越近。

"快走!"路克迅速转过身子拔腿奔跑。

碧吉紧追其后，却一不小心，在一块突出地面的石头上绊了个跟跄。只听"唉哟"一声叫唤，两只小虎像叠沙包似的跌倒在地上。

当路克和碧吉吃力地想从地上爬起来时，一个黑影已经站在了他们的面前。他粗鲁地用手电筒照了照他们的眼睛。

"不要这样，这太扎眼了！"碧吉难受得都快流眼泪了。

"你们在这里找什么？"一个男人用低沉的而且"咯咯"作响的声音问道。

"不要说任何事情。"路克悄悄对碧吉使了个眼色，壮着胆子反问对方，"您又是谁呢？"

那个男人似乎没想到眼前的男孩会这样问话。

大约静默了五秒钟，那个男人回答说："FBI，美国秘密警察！"很明显，那种"咯咯"作响的声音显得有些慌乱。

"你们来这里也是为了那个外星人的坟墓吗？"路克一心只想表现一下自己的能

耐,如果这些自以为是的家伙知道他如此熟悉这里的情况,就一定不会把他当作傻瓜了。

"你说得很对。"那个男人点了点头,表示赞同,"但是,你们还是没有告诉我,你们来这儿又是为了什么呢?"

"我们也是冲着这个坟墓而来的。"路克仰着脖子,傲慢得就像一只抓到了一大堆虫子的小公鸡。

突然,碧吉用肘关节碰了碰他。

"我知道我说了些什么!"路克发出了嘘声。

"路克,你听着!"碧吉性急地扯扯路克的袖子,似乎想提醒他什么。

"难道这个坟墓里确实安葬着一个外星人?"路克现在满脑子只想着如何从这个男人那儿多了解一些情况,根本没时间理会同伴的警告。

"嘿,你听着!"碧吉猛地一把将路克推到旁边。

"你到底想说什么呀?"路克对碧吉一而再、再而三地打断自己的话语非常恼火。

"这个人!他肯定有什么地方不对劲!"

那个男人似乎听到了他们的对话,他伸出戴着灰色皮手套的手指,直勾勾地指着他们。

"一起去!"那个低沉的声音倏地尖锐起来。

碧吉摇了摇头,她瘫软在地上,用手肘撑地慢慢地向后挪动身子。

"一起去!"那个男人再次严厉地重复了他的命令。碧吉腾地跳了起来,以最快的速度奔跑。路克也以同样快的速度跳了起来。终于,两只小虎跌跌撞撞地远离了七个男人的视线。

刚才,碧吉究竟发现了什么?在这个灰色间谍的身上,到底有什么地方不对劲呢?

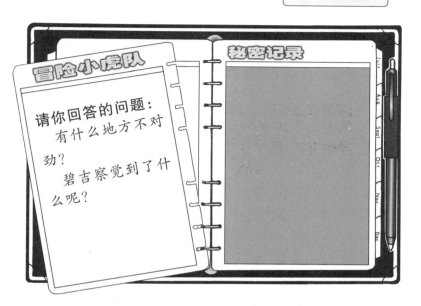

冒险小虎队

请你回答的问题：
有什么地方不对劲？
碧吉察觉到了什么呢？

秘密记录

令人心悸的瞬间

此时,帕特里克仍被关在黑乎乎的墓穴里,墓穴的石壁阴冷阴冷的,他的脑袋里一片空白。

不知不觉间,外星人的棺材在他的身旁赫然开启。

时间一分钟、一分钟地过去了,帕特里克却像凝固了似的一动不动。棺材中透射出来的那条细如游丝的光线几乎让他全身瘫软,站不住脚了。

这怎么可能呢?这口棺材怎么会自动打开呢?

难道这个外星人仍然活着?或许,他只是在这口棺材里休息打盹,一直在等待着有宇宙飞船来接他走?

此时,各种稀奇古怪的想法塞满了帕特里克的脑袋。一股莫名的寒气渗透他的全身,他的牙齿不由自主地打起了寒战。现在,只有他的两只眼睛像着了魔似的,直勾勾地凝视着这口棺材。

在此之前,帕特里克从来没有经历过这样一种令人毛骨悚然而又危险异常的场面。他的脑袋里似乎正在上演一部恐怖电影。如果这个异形生物从棺材里跳出来的话,那么会发生些什么事情呢?

也许,那东西就像一条蜥蜴:龇着尖尖的牙齿,伸着长长的利爪向他扑过来,帕特里克似乎已经感觉到了身体的疼痛。

或者,那可能只是一个无形的、黏滑的人影。帕特里克曾经看过这么一部电影,影片中就有一个来自异星球的人影,他想在地球上为自己的生命寻找一个替身。也许这个外星人就是这样一个想掠夺别人身体的影子。

这些可怕的念头几乎要摧毁帕特里克

的意志了,他多么希望赶快离开这鬼地方啊,但坟墓的盖子仍然紧紧地关闭着。

突然,有一束淡绿色的闪光若隐若现地从这口棺材里射了出来。

帕特里克屏息静气,紧闭双目,开始默默地祈祷他的朋友们能奇迹般地出现在眼前,赶快把他解救出去。但是,他们是否知道自己被困在这儿呢?就算他们知道了,又有什么办法把这个坟墓盖子打开呢?

这时候,帕特里克听到自己身后的墙壁里传来一种独特的金属与土壤摩擦的声音,似乎有人正在挖掘泥土,而目标显然就是这座神秘的墓室。

这会是谁呢?

帕特里克感觉他紧靠着的那堵墙壁正在慢慢地松动。有人在使劲地摇晃着这堵已经摇摇欲坠的墙壁。

谁会从那儿来呢?

为了不被即将推开的墙压扁,帕特里克鼓足了自己所有的勇气,使出身体中积蓄的所有力量,用力地向前一跳,跳到了一个小平台的旁边。他的身影迅速地消失在平台的后面。

那里的地面是潮湿的,阴冷无比,简直就像是一个冰窟。但为了不暴露目标,帕特里克还是紧贴在冷冰冰的地面上——从膝盖一直到下巴颏。

墓室的那堵墙终于被推开了,并且发出"咔咔"作响的、在地面上移动的声音。

有人进来了,来人停住脚步,似乎在等待着什么。

帕特里克根本不敢抬头看。

脚步又在移动了,脚步声渐渐接近了小平台,并在平台的另一侧停了下来。帕特里克的头顶上,突然响起一种酷似金属撞击的"咔嚓"声,接着,墓室里那道细若游丝的淡绿色光芒熄灭了,棺材盖肯定又被重新合上了。

那些脚步声再一次消失了,远去的脚步比来的时候显得匆忙多了。墓室的墙壁又恢复了原状,尖厉的"咔嚓"声响彻墓室。

然后,整个坟墓又重新陷入了宁静。

当帕特里克哆嗦着站起来时,他的手臂和大腿已经变得像石头一般僵硬,而且疼痛无比。

他打开手电筒,花费了很大的力气才把它握住,他突然感到自己的手指根本使不上一点劲。

随着"咣当"一声响,这口棺材的盖子出人意料的又重新弹开了,这一次的口子开得更宽一些。棺材里有一个特别厚实的光圆盘,对面的墙壁上随即出现了一个圆圆的光圈。

当看清楚自己究竟在害怕些什么之后,帕特里克内心的恐惧感反而弱了许多。帕特里克大口喘着粗气,逐渐恢复了平静,并且缓慢地走到棺材敞开着的口子的一侧,稍稍地向前弯下腰,鼓起勇气朝里面瞥上一眼。

200

冒险小虎队

秘密记录

请你回答的问题：
　　帕特里克忽视了一些东西，你知道他究竟错过了什么重要线索吗？

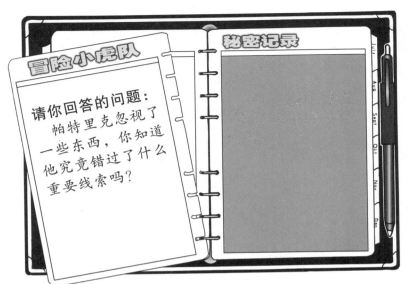

灌木丛里的迷惑

路克气喘吁吁地停了下来,其实他自己也不知道,已经奔跑了多远。直到他转过身来,才能从那棵古老橡树所处的位置辨别出自己究竟在墓地的哪个角落里。那棵橡树就像一个巨大的蘑菇,矗立在那座小山丘的圆形山顶上。

碧吉也上气不接下气地跑了过来,她几乎稳不住身子,只能整个地倚靠在路克的身上。

"这……这一切到底是怎么回事?"她贪婪地呼吸着空气,连说话声音都是断断续续的。

"没有任何解释。"路克一直目不转睛地凝视着那块墓地。现在轮到夜视仪来一显身手了,通过这个仪器,就可以在夜间非常清楚地观察到周围的一切:人、动物和植物。路克举起这个看起来就像是一架普通望远镜的夜视仪,努力搜索着那七个灰色间谍曾经出没的地方。

"路克,你看到了什么?"碧吉询问。

"他们还在那儿,那个曾经追赶过我们的男人已经回到了同伴的身旁。"

"他们在干什么?"

忽然,路克瞪大了眼睛,吃惊地倒吸一口冷气:"他们面前的地面好像裂开了一个口子,有道光线从地底下冒出来。"

"是吗,路克,再看清楚些!"碧吉在催促。

"他们进到地里面去了!那儿似乎有一个阶梯通到地下。"

碧吉使劲地摇动着路克的手臂:"帕特里克呢?他在哪儿?为什么我们看不见他?你说……他会不会……就在那个坟墓里!"

路克慢慢地点了点头。

"如果这些人现在也走进这个坟墓,那么他们会拿帕特里克怎么样呢?"

"我们必须赶紧去帮助他!"路克和碧吉非常担心帕特里克的安危,他们飞快地朝发出亮光的地方疾奔过去。

当他们抵达那块墓地时,竟意外地发现那个女记者在墓碑之间一闪而过,她的手里拿着一架带有巨大闪光灯的照相机。而她的目标也正是那个敞开着的坟墓。

在一片灌木丛的后面,似乎有什么东西在"簌簌"作响。当碧吉停下脚步,并且四下张望的时候,这种声音突然就消失了。可只要碧吉一走动,那个声音便又响了起来。

"路克!"碧吉轻声向队友挥了挥手,示意他赶快过来。

碧吉默不作声地用手指指那片灌木丛。

"那里不知道是藏了头迷路的野兽,还是埋伏着一个别有用心的人!"当路克来到她身边,还来不及插上话时,碧吉突然灵光

一现,马上有了答案,"天哪,我知道躲在灌木丛里的是谁了。"

　　路克佩服地向他的女队友竖了竖大拇指。但是她是怎么知道的呢?莫非她有着像猫一样敏锐的眼睛,能够在黑暗中洞悉一切东西?或者⋯⋯

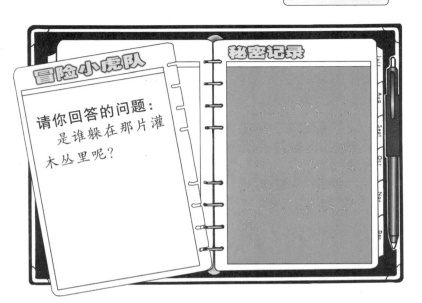

冒险小虎队

请你回答的问题：
　是谁躲在那片灌木丛里呢？

秘密记录

真相大白

在那个神秘的坟墓里,帕特里克忍受住了最严重的恐惧的熬煎。当他正想松口气时,这座坟墓的盖子竟然毫无预警地又打开了,有人正从阶梯上下来,而且听脚步声,还不止一两个人。

帕特里克尝试着让自己的身子整个儿地躲到小平台的后面去,也就是那个狭窄、陡峭阶梯拐角的另一侧。但是这里的空间非常狭小,帕特里克根本不知道,自己是否能被完全遮住。

第一个人走进了墓室,接着是第二个人,第三个人。

随着缓慢而僵硬的脚步声,他们从小平台的另一头慢慢地向帕特里克藏身的地方走过来。

不能再等了,他必须立刻采取行动。帕特里克摸索着打开自己随身携带的挎包,他的手指接触到的第一个东西就是爆竹。没有太多时间的思考,他点燃了爆竹,并且紧贴着地面把它扔到了阶梯上。

随着一声震耳欲聋的响声,那个爆竹就像个炸药包似的炸开了,那个刚刚把脚踏进墓室的灰色男人,吃惊地把手臂举向空中,并且跌跌撞撞地后退了几步。慌乱之中,他还撞倒了跟在他身后的另一个人,那个人又拖倒了紧跟在自己身后的人。转眼间,阶梯上的人像多米诺骨牌似的一个接一个地倒了下去。

可偏偏这时候,那两个已经进到坟墓里的人还急匆匆地往上跑,和那些躺在阶梯上的人揉成了一团,他们相互推搡、拥挤和践踏着。

就在这混乱的时刻,突然"咔嚓"一声响,那个棺材盖子腾地向上翻起,随着"咣当"一声响,撞在了那个小平台的石头上。

整个墓室里都充满着从这口棺材中透射出来的、淡绿色的灯光,这束灯光正在不停地闪烁着。那个离棺材最近的灰色男人好奇地朝里面瞟了一眼,突然放声大笑。

一种"嗡嗡"声和剧烈的"咔嚓"声此起彼伏,接着,无数的闪光灯以极快的速度照亮了整个墓室。

那个男人还在不停地哈哈大笑。

"她说的原来是真的!"他控制不住地大声嚷嚷起来,"这里面装满了照相装置,数量惊人哪。"这个男人根本不能平静下来,"这简直是太滑稽了,我们的贝蒂。"

"嘿,让那种谣言见鬼去吧。"从上面传来了一个男人喜悦的声音,"贝蒂,大记者,你在哪里?是我们呀!"

在短短的、令人惊异的间歇之后,紧接着便是一声愤怒的呐喊。

"你们这些讨厌的家伙!难道你们觉得这样做很有趣吗?你们把我的一切都弄糟

了。"

帕特里克紧贴着平台，稍稍抬高身子，小心翼翼地朝棺材里面瞄了一眼。原来，整个棺材的内壁都铺着一层铝箔，并且用绿色的灯光来照明。在这中间，摆放着许多个小小的三脚架，上头的照相机和闪光灯正纷乱地闪烁着。

完全没有外星人的踪迹。

这时候，所有的男人都拥挤着爬出墓室。从地面上不断传来一个女人愤怒的诅咒声，她骂骂咧咧，满嘴粗话。而所有的男人似乎正在心平气和地安抚她。但是，那个女人显然快气疯了，根本无法平静下来。

"请你们快帮帮我，快点儿！"帕特里克听出这是碧吉的叫喊声，"那儿有一个骗子，他快逃走了，你们快去拦住他！"

人群中一阵骚乱，各种声音此起彼伏。男人们的呼叫声在夜空中回荡："站住！停下来，警察！"。

墓室的门敞开着，帕特里克可不会放

过这个千载难逢的好机会,他用手扶住高高的阶梯,以保持身体的平衡。

在这个坟墓盖子的旁边站着一个女人,而这个人帕特里克也曾经见过,她就是上次在海尔迦阿姨的小旅馆采访过梅克先生的那位女记者。她仍然穿着那身黑色的紧身服,而那绷得紧紧的假面具则已经被推到脑袋后面去了。

在那个面具下面,显露出一张汗津津、红扑扑的脸庞。

"我们抓住他了!贝蒂,快点,拍照片!这简直就是一个最热门的故事!"远处传来几个男人兴奋的喊声。

这个女记者手拿着照相机迅速地跑过去,帕特里克紧跟在她的身后。

在这条狭窄山隘的尽头,站立着那些穿灰色衣服的男人,他们中大多数人的头盔都已经从头上滑落下来,其中一个人戴的太阳镜也歪斜着挂在鼻梁上。

他们抓住了那个由于进行 UFO 诈骗而被多个国家通缉的犯罪嫌疑人。碧吉和路克死死地抱住这个骗子的大腿。这下,这个 O 形腿男人可就插翅也难飞了。

女记者贝蒂可不关心这个骗子那无休止的谩骂,只一个劲地拍照。热门新闻对她来说才更具吸引力。

在这个夜晚,海尔迦阿姨睡得很少,牺牲了许多美美的睡觉时间。在她的小厨房里,贝蒂、那些灰衣男人中的四个、小虎队队员和梅克夫妇齐聚一堂。

"它应该成为我生命中最美好的故事。"贝蒂垂头丧气地耷拉着脑袋,"为了引诱那七个所谓的灰色间谍,我还特意整修了这座古老的坟墓。这座坟墓从前属于我的祖父,他一辈子都喜欢吓唬人。其实,这个坟墓里从来也没有安葬过任何人,更不用说是外星人了。我爷爷为了把人们吸引到这块墓地上来,并且捉弄他们,所以才在坟墓里装了许多机关,包括那条走廊,以及墓室里面的那个秘密入口通道。"

那些灰衣男人中的一个——一位留着蓬乱、狂野、金黄色头发的小伙子,正咧着嘴在憨憨地笑着。他的鼻子长得滑稽可笑,一看就知道是一个捣蛋鬼:"你原本就不应该给我们讲述这些事情,你必须估计到,你身边的同事,对了,也就是我们七位小伙子肯定会装扮成七个灰色间谍在这个疯狂的故事中插上一脚的。"

另一个长着一双大大的眼睛，两眼透着狡黠光芒的男人，则露出一副无辜的表情，神情沮丧地讨好着自己的女同事："亲爱的贝蒂，我们只想让你少一点失望，因为那些灰色间谍根本就不存在。那本杂志真是谎话连篇，所有的一切都是捏造的！"

"但是，现在你已经有了这个火辣辣的故事。"那个男人的话已经完全平息了女记者的怒火，"一篇你盗用居尔森教授名义写的文章，以及一个假的外星人坟墓，竟然让一个国际级的骗子上当受骗，而且那家伙又凑巧让我们给抓住了。那可真是意外收获啊。"

事到如此，路克为什么总能收到亡灵居尔森教授的来信，已经不难理解了，这自然是女记者贝蒂的创意了。

还有，骗子的那个自称为银河的女帮凶也已经银铛入狱，那些骗来的钱，也从她家里的床底下被发现。"贝蒂的同事继续说。

梅克夫人心情舒畅地呼了一口气，而

梅克先生则马上对她投以严厉的目光。

路克不忍心梅克夫人再挨骂,便走过来帮她说话:"是梅克夫人带领我们找到了许多关于这个骗子的线索,她也是听一个朋友的讲述后才知道有这么一个专门吸引UFO的组织的。而等梅克夫人察觉到这是一个诈骗行为之后,也曾对此事寻根究底,不是吗?"

"是……是的,完全是这样的!"梅克夫人激动地点点头。

梅克先生把眼睛张得大大的,他的嘴巴也由于事情的突变而惊讶得越张越大。

"有趣的故事。"贝蒂自顾自地喃喃低语,"多么好啊,对于那则访谈我可有许多新东西写了。现在,事情变得越来越有趣,未来的部长夫人竟然已经成为一个业余侦探了。"

海尔迦阿姨和马里乌斯姨父就像在看一场网球比赛一样,根本插不上话,只能沉默地从一个人看向另一个人。虽然对整件事他们还没有全部弄明白,但是光那个诈取了几百万巨款的美国骗子就已经给他们留下深刻的印象了。

梅克夫人感激地向小虎们眨眨眼睛。

"我们真的是非常讨人喜欢的。"碧吉看着梅克夫人如释重负的样子,内心很快乐。

对此,她的朋友们都没有表示出任何异议,只是心有默契地相互点了点头。

__1
__2
__3
__4
__5
__6
__7
__8
__9
__10
__11
__12
__13
__14
__15
__16
__17
__18
__19
__20
__21
__22
__23
__24
__25
__26
__27

小虎队盟友

破案成绩卡

MAOXIAN XIAOHUDUI

太空陵墓

第四名小虎队成员

书中共有27个谜题，你能破解多少个谜题？

得到22分以上 ☐ 非常好

得到20分 ☐ 很好

得到15分 ☐ 好

得到10分 ☐ 一般

得到5分 ☐ 弱

得到1分 ☐ 没有通过

MAOXIAN XIAOHUDUI

MAOXIANXIAOHUDUI

请你在上面的评分阶梯表中填上正确的破案成绩

小虎队秘密记录

XIAOHUDUI
MIMI JILU

小虎队超级绝招

细节会泄露真实的情况

有些行为习惯可能会出卖一个人，即使他能够很巧妙地伪装打扮。遇到窘境时：

· 拉耳垂。
· 用脚敲击出杂乱的节奏。
· 嘴咬眼镜支架。
· 把口香糖黏在耳朵后面。

这意味着什么：

一个人深色头发的发根处为什么会露出浅色的条纹？

——这个人很可能是把自己的头发染成了深色，但那些新长出来的头发却显出了本来的发色。

在一个男人的面颊和下巴颏上为什么会有浅色明亮的斑点？

——这个男人曾经长着络腮胡子。只是在不久前他才把胡子剃掉，所以这块皮肤还没有变成棕色。

有人躲藏在这幢房子里吗？请你注意：

——信箱里的邮件。

——窗帘和可以卷起来的帘子有没有发生变化？

——窗户是打开的，还是关闭的？

——烟囱里有没有冒出烟来？

——在垃圾筒里有没有新鲜的垃圾？

——在这幢房子里的某一个地方是否亮着灯？

——问一问周边邻居，他们是否已经观察到了一些异样的东西？

明察秋毫

人们用肉眼并不能看见这些痕迹,但是在显微镜下却能够看见:如果用铁橇棒去打开一扇门,那么门上就会有细微的油漆碎片,而这些细微的痕迹就可以证明一个案犯有罪。

击发后的火药残余

如果有人开了一枪,那么就会在他的手套上,或者皮肤上留下击发后的火药残余。发射出的子弹所产生的硝烟会残留在那儿,并且可以成为破案的线索。

CIA是什么?

CIA是美国中央情报局,也就是美国的中央谍报机构。供职于这个机构的间谍都活跃在世界各地,他们的职责是设法搜索对本国安全至关重要的信息情报。

FBI是什么?

FBI是美国联邦调查局。

Interpol是什么?

Interpol是国际刑警组织。

国际刑警组织的总部设在法国的里昂。在那里,仅仅在罪犯的卡片索引中,就储存了二十多万个犯罪嫌疑人的信息。

自行车的痕迹

一辆行驶着的自行车会留下不同的痕迹。你可以从中观察到各种各样的蛛丝马迹。这辆自行车是朝哪个方向行驶的?

哪辆自行车行驶得比较快,哪辆比较慢?

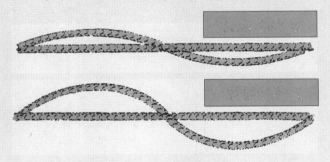

奇特的鞋印

那些在扮演"牛仔"角色的人们经常会留下这样的脚印。

深深的脚印

那些深深地印在地里的脚印，其含义是：

·这里曾经有一个胖子经过。

·这里曾经走过一个驮着重物的人。

动物的脚印

下面分别是奶牛、绵羊、山羊和鹿的脚印。

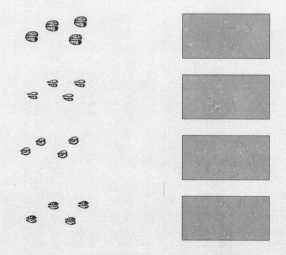

作者

名:托马斯

姓:布热齐纳

生日:1月30日

头发颜色:棕色

眼睛颜色:棕色

特征:大髭须

我喜欢:

饮食:中式米饭和意大利面条

饮料:所有一切酸的和彩色的饮品

颜色:红色

动物:我的狗——大菲

音乐:抑扬顿挫

课程:休假

业余爱好:收集钟表,喜欢拍一些疯狂的照片

我讨厌:无聊透顶的人、牛皮大王、蠢货

我梦想的职业:已成为现实

我最大的愿望:做一次月球旅行

Tomas Nezika

(托马斯·布热齐纳)

图字：11—2003—136 号

图书在版编目（CIP）数据

太空陵墓/[奥]托马斯·布热齐纳著;邵灵侠,陈一平译. —杭州:浙江少年儿童出版社,2005.1(2010.6重印)

（超级版冒险小虎队）

ISBN 978-7-5342-3371-5

Ⅰ.太… Ⅱ.①托…②邵…③陈… Ⅲ.儿童文学-侦探小说-奥地利-现代 Ⅳ.I521.84

中国版本图书馆 CIP 数据核字(2007)第 015170 号

Ein Superfall für dich und das Tiger-Team. Die Gruft des Außerirdischen   Thomas Brezina
Copyright © 2001 by Egmont Franz Schneider Verlag GmbH, München
Chinese language edition arranged through HERCULES Business & Culture Development GmbH, Germany
www.schneiderbuch.de   www.thomasbrezina.com

策 划 人 袁丽娟 责任编辑 袁丽娟 美术编辑 赵 洋
装帧设计 裤 兜 解密制作技术 阙 云

超级版冒险小虎队

太空陵墓

[奥地利]托马斯·布热齐纳 著

维尔纳·埃曼 插图

邵灵侠 陈一平 译

浙江少年儿童出版社出版发行
（杭州市天目山路 40 号）

浙江新华数码印务有限公司印刷　　全国各地新华书店经销

开本 787×1092 1/32 环扉1 印张 7.375 字数 84000 印数 630411—642435
2005 年 1 月第 1 版　　2010 年 6 月第 43 次印刷

ISBN 978—7—5342—3371—5　　　　定 价:13.00 元

（如有印装质量问题,影响阅读,请与购买书店联系调换）